孔子未解開的謎

橄欖基金會 出版

「眞理衞道叢書」出版序

保羅在提摩太前書中提醒我們：「聖靈明說，在後來的時候，必有人離棄眞道，聽從那引誘人的邪靈和鬼魔的道理。」（提前四1）他在帖撒羅尼迦後書中又說：「因爲那日子以前，必有離道反教的事。」（帖後二5）在末世，上帝和魔鬼的爭戰達到最高峯，而屬靈爭戰的第一主戰場就是「心思」——思想戰，所以撒旦在末世用各種「理學、虛空的妄言、世上小學」（西二8）以及「異教之風、各樣異端」（弗四14）來捆綁世上的人，迷惑上帝的選民，造成各種心意上的堅固營壘。因此，福音工作日益困難；上帝的兒女偏離眞道、靈性軟弱的也與日俱增。

橄欖基金會有鑑於此，特別選輯了與「屬靈思想戰」有關的一些書，編成「眞理衞道」叢書，已出版的第一册《抽絲剝繭話信仰》是以福音信仰的眞義來導正現代人對信仰的許多偏差觀點和態度；第二册《問得好》是從理性層面回答人對信仰常有的質疑；第三册《異端學》是本著福音眞理論述異端產生的因由及各種異端偏差的所在；第四册《基督徒的人生觀》是本乎聖經辨明各種世俗人生哲學的偏頗處以及基督徒本身對經濟、政治、藝術、工作……等應抱持的態度。除此之外，計畫中要出版的有：《Beyond Ideology》（超越意識型態）將聖經眞理和亞洲地區流行的各種意識型態（社會主義、共產主義、民主主義……等）作比較，指明聖經眞理的內涵和解決方案，是遠超這些意識型態之上；《Idols for Destruction》（拆毀學術偶像），是本乎聖經論述各種自然社會及人文科學（歷史學、政治學……）的理論前提偏離聖經之處，以及如何建立本乎聖經眞理的新社會；《Upside-down Kingdon》（倒轉的國度），從耶穌在曠野受試探說明天國的運作方式和現今世上的政治制度、經濟制度及宗教制度恰是顚倒的，耶穌降世就是要把現存的屬地國度上下顚倒地翻轉過來，好成爲天國的樣式。將來若還有其他合適的書，也將逐一地放入本系列叢書中。

但願讀者能從本系列的叢書得著更完備的「思想武裝」，來抵擋惡者一切的火箭，破除牠一切的詭計。

是爲序

橄欖基金會出版部

獻辭

謹以此書獻給康克典先生，他是第一位啓發我對中國文化及古文字產生濃厚興趣的人。我很榮幸與他合寫了一本書（THE DISCOVERY OF GENESIS）。本書有部分內容卽是引用那本書而來的。康先生前不久已歸回天家，但他對世人的貢獻將永留人寰。

——李美基

謹以此書獻給我的家人，謝謝他們在這些年來愛我、鼓勵我，時刻為我禱告。

——鮑博瑞

前言

幾千年來，中國人是否知道他們擁有一個尚未發掘出來的真理寶藏呢？「這道離你不遠，正在你口裏（語文），在你心裏。」羅馬書十：8。

本書是以聖經記述為背景，而以口語化寫成，將古字以聖經的眼光分析，期使中華民族與上帝的代溝藉此書補足，使中國人能對基督的信仰追本溯源地從內心來認同。當然也必須同時高舉聖經的權威性，使迷失的一群人得以歸回羊圈，共沐主恩。

我們不敢說我們所做的分析，是完全正確的。因為這就像許多的研究工作一樣，會有新的發現，需要不斷地改進、修訂。然而，我們相信，中國文字與希伯來聖經記載了同樣的事實，這絕不是偶然的。

本書只是研究一系列中國文字的起頭而已，今後我們將會出更多這方面的書籍。本書翻譯期間，承蒙許多人給予協助及鼓勵：感謝陳維德小姐協助本書的翻譯；活石出版社的連易宗先生，慷慨的讓我們利用他的辦公室來從事翻譯工作；並為我們出版了這本書。蘇文魁先生為我們繪製每一章的標題；黃恩威先生提供了許多建議；張光遠先生引我們認識甲骨文；許金鐘先生提供古書的資料；也特別感謝許多人費心為我們校對、貼字。

此外，感謝 Chris Christianson 先生為我們繪製封面字甲骨文的「祀」字。孫永光先生為本書的封面題字。

希望中國的文字學家，不要認為我們冒犯了他們的研究領域，而企圖「古語新釋」（參閱跋），我們只是提供了幾個觀點，盼足以解開許多中國文字的奧祕。

李美基醫師於美國田納西州
鮑博瑞先生於台灣台北市

目錄

第一章　謎

「明乎郊社之禮，……治國其如示諸掌乎。」（註1.）

（語譯：一個懂得郊祀（祭天之禮）的人……可以治理國家。對他來說，治理國家就像看一看自己的手掌一樣容易。）

四千多年以來，中國的皇帝每年都要到國家的邊境或京城去；他們在一個露天的祭壇上，焚燒一隻完美、毫無缺陷的牛，以此來獻給天上的統治者——上帝。

這個儀式就是所謂的「郊祀」，一般通稱為「祭天」大典。或許一般人認為，天跟上帝是完全不同的，但東漢的學者鄭玄却說：

「上帝者，天之別名。」（註2.）

孔子也說過：

「郊社之禮，所以事上帝也。」（註3.）
（語譯：舉行郊祀這個儀式，是為了服事上帝。）可見天跟上帝指的是同一位。

在中國正史以前的那段傳說時期，郊祀就已經存在了。四千多年來，這個儀式都毫無間斷地舉行著，直到一九一一年才停止。這是因為郊祀是以帝王為主祭的儀式，既然滿清帝國被推翻、君主專政消失；所以這個儀式也自然消失了。

聖人孔子（西元前五五一—四七九年）對郊祀非常重視。甚至，他還把郊祀的重要性，拿來與治理國家相提並論。但是，孔子自己並沒有詳細地解釋郊祀的意義，因此郊祀就成了一個無法解釋的謎了。為什麼孔子會那麼重視這個神祕的郊祀呢？這就是我們要解開的第一個謎！

至於郊祀到底是怎麼開始的呢？在中國古書中，書經是最早的文獻之一，它記載舜帝（西元前二二三〇年）：

「肆類于上帝」（註4.）。
（語譯：向上帝獻祭）。

因此「上帝是誰？」，就是我們所要解開的第二個謎！

在西元十五世紀時，舉行**郊祀**的場所，由原來的邊界遷到了北平的南方。那裏有一個相當大的園子，園內有三個神聖宏偉的建築物。最北端的祈年殿，是在西元一四二〇年建成的。它位於三層白色的大理石台階上，台階的四周各有十一尺高的欄干；屋頂呈圓錐狀，一共三層；這三層屋頂共鑲了五萬片藍瓦（藍色是代表天的顏色）。而整幢建築物的牆壁，連根釘子都沒有。它是以二十八根圓柱支撐著，這二十八根柱子是用二十八棵樹做成的。在建築物的正中央，還有四根大柱子。而整個建築物的屋頂，就是靠外圍的二十八根圓柱及中央的四根大柱子支撐著；而沒有用上任何樑木。在建築物的裏面，則畫滿了五彩繽紛的圖案。

在祈年殿的南方，是另一個較小的建築物：皇穹宇。它的結構大致和祈年殿相似，所不同的是，它只有一層藍瓦的圓錐形屋頂。**皇穹宇內沒有供奉任何偶像**，只在朝北的牆壁上刻了四個大字：「**皇天上帝**」。

在皇穹宇的正南方，是一座由三層白色大理石所建的祭壇：圜丘壇。圜丘壇的外形，就像一個三層的結婚蛋糕。它的直徑是七十五公尺，三層都有欄干；人能從四個不同的方向通往最上一層。這座壯觀的建築物，是在西元一五三九年完成的。

現在，我們不妨回溯過去，親自去看一看這個中國古代最神聖的儀式及場地。在冬至來臨時（大約在十二月廿二日），皇帝的侍從們就開始忙於籌備這項儀式：唱歌的人必須準備好絲綢的袍子；彈奏樂器的人，必須把銅鐘、各式的大鼓、小鼓、鈸、笛及絃樂器擦拭乾淨；因為這些東西都是特別在每年祭典時，才派上用場。

在冬至的前一天早上，皇帝（天子）身著皇袍、頭戴皇冠，由一大群王公貴族陪同，從皇宮（紫禁城）的前門出發，浩浩蕩蕩地遊行到皇穹宇。

在那一天，北京城的各個街道都是靜悄悄的；因為所有的老百姓都必須緊閉門窗留在室內，或躲在窗簾後面。

從祭祀時所吟誦的歌詞及禱詞上，我們可以看出中國人對上帝的觀念及態度。當皇帝到達皇穹宇之後，第一件事就是默禱。同時唱歌的人就在樂器的伴奏之下，唱出以下的吟誦：（摘自大明會典）

「仰惟玄造兮，於皇昊穹……大禮欽崇，臣惟蒲柳兮，螻蟻之衷，伏承眷命兮，職統群工，深懷愚昧兮，恐負洪德，爰遵彝典兮，勉竭微忠，遙瞻天闕兮，寶輦臨壇，臣當稽首兮，祇迓恩隆，百辟陪列兮，舞拜於前，……敬瞻帝御，願垂歆鑒兮，拜德曷窮。」（註5.）

（語譯：創造宇宙的主宰，我仰望您；

您所住的穹蒼，是何其廣大啊；

我是您卑微的僕人，以此儀式來敬拜您；

我就像柳條般地柔弱，我的心如螞蟻般的渺小；

可是却蒙了您的厚愛、承接您的旨意，成為一國之君；

我深深地覺得自己無能、愚笨，不配接受這個使命；

我深怕辜負了您的大恩大德，所以一定要遵守您的旨意；

儘管我是個微不足道的人，但我願意竭盡心力來效忠您；

我遙望您天上的殿宇，祈求您乘著天上的寶車，來到這個祭壇上；

您的僕人就在您的面前下拜，期待您的到來；

我與隨行的王公貴族們，都要在您面前歡喜地敬拜您。

……上帝，求您悅納我們的祭品，看顧我們；

我們都敬拜您，因為您的恩澤是永無止盡的。）

唱完了吟誦之後，皇帝就到祈年殿去了。

冬至那一天，皇帝先回到皇穹宇，再往圜丘壇去舉行獻祭的儀式。在這個清新的早晨，到處都洋溢著禱告和讚美的歌聲（這些禱告及讚美的歌聲，我們會在以後幾章中適時地摘錄一、二）。當侍從們把珠寶、絲綢、祭品及三次獻祭的酒拿出來時，音樂及舞蹈就開始了：

「萬舞畢舉兮，九成已行，帝賜洪庥兮，大我家慶，金鳴玉振兮，聲鏜鏜，羣僚環佩兮，響玎璫……寶稱泰號兮，曷有窮量，永固高厚兮，宰御久常，微臣頓首叩首兮，攸沐恩光。」（註6.）

（語譯：舞蹈跳完了，音樂也響了九次。上帝啊！求您大大地賜福我家，這些樂器，都奏完了美妙的聲音，文武百官都向您敬拜，他們腰間的佩飾，都發出叮叮璫璫的聲音。……我們都大聲地歡呼您的名字，您的名字是歡呼不盡的。你一直堅固著高天和地下，您所統治的國家，會永遠地存著的。我是您微不足道的僕人，我要向您下拜，來蒙受您的大恩及光照。）

當燒祭物（牛）的時候，就唱出最後的一段吟誦：

「瑤簡拜書兮，泰號成，奉揚帝前兮，資離明，珍弊嘉肴兮，與祝誠均登巨焰兮，達玄清，九垓四表兮，莫不昂瞠，庶類品彙兮，悉慶洪名。」（註7）

（語譯：我們敬拜您，把您的名字寫在寶玉做的書簡上；現在我們要將書簡放在火裏，陳獻到您的面前。我們要用最誠摯的禱告，將這些珠寶、絲綢、祭品也放在火裏獻給您。這些東西會藉著這熊熊的大火，升到高天之上；全世界都會仰望您，全人類及萬物都會歡呼您的名字。）

如今，北平的天壇，已經成為非常著名的觀光勝地。但在那麼多走過大理石台階的人之中，却很少人想過郊祀的意義和它的來源。許多世紀以前，這個富有神秘氣氛的儀式，曾經引起了孔子的注意，但連孔子也未解開這個謎。

我們能否解開這個千古之謎，了解這個儀式的真正意義呢？我們相信能！但必須藉著一種不尋常的方式！雖然我們發現，這個儀式在現代的中國已不再舉行了，但是它對全世界（東、西雙方）的人，却具有極重大的意義！

第二章　上帝是誰

「季路問孔子……敢問死？子曰：未知生，焉知死？」（註1.）
（語譯：子路問孔子說：「死到底是怎麼一回事呢？」
　孔子回答：「你既不知道生，又怎能知道死呢？」）

你曾否想過自己是從那裏來的呢？許多人曾經想過這個問題。你有否妥善地保存家譜呢？總而言之，我想請問你一些問題：你知道人類最早的祖先到底是誰嗎？人類是怎麼來的？人類的始祖又是誰呢？他們很聰明或……。

今天有一些科學家告訴我們：「人類是由低等生物經過無數的年代，演進而來的。」他們還說：「人類是猿猴的後裔，是猿猴演進而成的直立動物。」

但是，你知不知道在中國的古訓裏，早就說過地球上第一對男女是最高貴、最聰明、最獨特的受造物？他們甚至擁有造物主的形像！按照古訓的說法，造物主不但造了人，更造了整個宇宙萬象。

如果你查一下中國最早的歷史，你將會發現這位造物主的名字叫「**上帝**」。這個名字，顯示出他在天上的統治地位。在中國遠古的歷史中，曾記載了一項很重要的禮儀——**郊祀**（在邊界祭祀）。這個儀式是為了敬拜上帝而每年舉行的。儀式的主祭，就是皇帝本人。我們從大明會典記載的吟誦中，可以發現它在在顯示出上帝是**全宇宙的創造主**。

「於昔洪荒之初兮，混濛，五行未運兮，兩曜未明，其中挺立兮，有無容聲，神皇出御兮，始判濁清，立天立地人兮，羣物生生。」（註 2.）

（語譯：在天地初創的時候，到處都是混沌不明，沒有自然界金木水火土等星的運作，也沒有太陽、月亮的出現，這時候整個世界靜得連一點聲音也沒有，更看不到任何有形的物質。然而一旦神皇（上帝）出來統管，就有了黑暗與光明的分別，他創造了天地萬物和人類，使萬物世世代代不斷地延續下去。）

上帝對於他所創造的一切，充滿了關懷和愛，我們可以從**郊祀**的其他吟誦中發現這個事實。

「羣生總總兮，悉蒙始恩，人物盡囿兮，於帝仁，羣生荷德兮，誰識所從來，於惟皇兮，億兆物之祖真。」（註3.）

（語譯：萬物的開始，都是因為您施恩的緣故；整個天地人類，都蒙受上帝您的大愛；萬物都虧欠了您的美德，誰知道這些祝福是從哪裏來的呢？哦！上帝，惟有您才是天物萬物真正的始祖啊！）

「皇德無京，陶此羣生。」（註4.）

（語譯：上帝，您的美善是永無止盡的，您像陶匠一樣塑造了天地萬物。）

「永固高厚兮，宰御久常。」（註5.）

（語譯：上帝，您永遠堅立著天地，您所統管的地域，會世世代代永存著。）

由以上可知，上帝不僅是天地萬物的創造主，他更是宇宙萬物真正的主宰。上帝深愛著萬物，他將永遠地活著。他的美善是任何東西都比不上的。雖然古人都相信這些道理，但這些說法全都是真的嗎？

[illegible]是夏至的時候，在北方的邊界上祭[illegible]祭「天」；但到了最後，祭天的儀式[illegible]書中提到：

[illegible]（[illegible]。）

東[illegible]（西元前二二〇五～一七六六年），甚至早在黃帝以前，中國人就有獻祭給上帝的儀式了。我們從司馬遷所著的史記中發現，古代的中國人是在山東省的泰山上舉行這項儀式的，山東省的泰山正是位於中國東方的邊界上（註7.）。我們將在以後幾章中，更了解在東方獻祭的特別意義。

我們在第一章提到，獻祭給上帝的儀式和帝王體制有很密切的關係，因為典禮的主祭是皇帝本人。因此到了滿清滅亡之後，這個儀式也就自然而然地停止了。但是，難道上帝真的會隨君主專政的沒落而永遠消失嗎？

當然不會！中國人當然不會忽視上帝的存在。但是，只有少數人承認他是**中國人原始的神**及宇宙萬物的主宰。

1999 Two-Day Sport Fishing License

This license must be displayed at or above your waist while fishing.

Date Issued: June 13

("Date issued" must be entered before issuing license.)

FEE: $10.00 **No.** 007403-07

Angler's Name: Michael [illegible]

Dates Valid: Jun 13 Jun 14

("Dates valid" must be entered before issuing license)

Valid in all waters of the State for two consecutive designated calendar days except on the Colorado River or for taking striped bass or abalone unless special stamps are affixed to back. A salmon punch card is required when salmon fishing in ocean waters north of Point Delgada or in the Klamath River system. A steelhead report card is required when fishing for steelhead in anadromous waters.

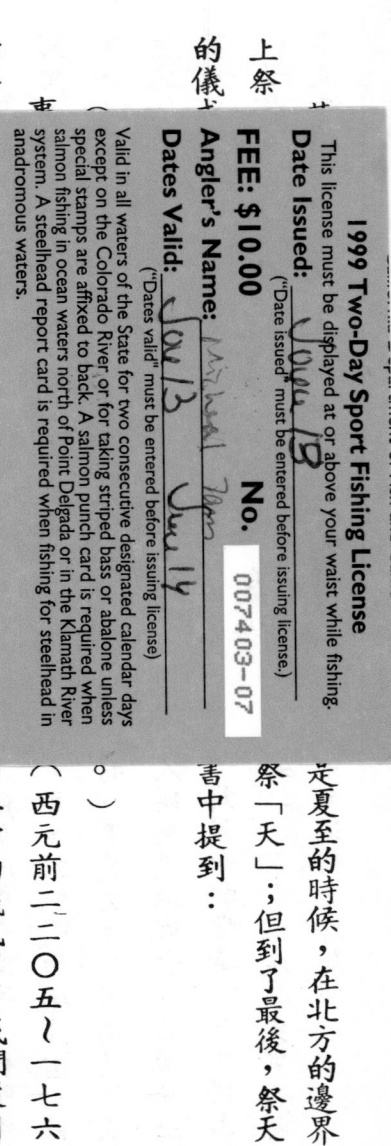

雖然，大多數的人不認識上帝，而且對他不心存感恩；但直到如今，上帝是否仍是中國人及地球**上所有種族**的最高統帥呢？

在紀元前六世紀，中國的儒家、道教開始盛行；到了紀元前一世紀，又由印度傳來了佛教。因此，使大多數的人都忘記上帝才是宇宙中獨一無二的神。然而，中國人對上帝的認識，並沒有因此而失去。**因爲在古代的中國文字中，已經將創造地球及人類的起源，這一段優美的歷史，原原本本地保留了下來**。

中國文字的發明和早期文化的發展，是屬於同一個時期。根據傳說，最早的象形文字，是黃帝的大臣倉頡發明的；而象形文字是中國文字最早的型式。在發明中國文字的同時，古埃及人和閃族人也發明了他們的象形文字。發明中國文字的人發現，只要結合兩個或兩個以上的象形文字，就能明確地指出一件事物；並能表達出新的意義；因此，就產生了所謂的「表意文字」。爲了使表意文字深具意義，所以發明文字的人，必須根據古人所熟悉的觀念和常識來造字，並且要熟悉天地間所發生的事件——例如：「第一對男女的受造」、「與上帝的最初關係」、「罪的起源」、「上帝的補救方式」……。這些史實，都是表意文字中最引人注意的主題。我們將在後幾章中知道得更清楚。

當文字被發明、被人廣泛使用之後，就漸漸地失去了原有的歷史意義。而隨著歲月的流轉，文字不但喪失了原意，且變得更神祕而不可測了。正如同上帝也變成一位神祕而不可知的神了。

除此之外，由於各朝代的文人，對文意的表達方式，常以各種不同的藝術筆法來描寫，因而使文字產生了許多同字異體的現象；以致分析文字的工作也就愈加困難了。直到秦始皇時代（約紀元前二二〇年），他命令臣相李斯將文字統一，於是產生了所謂的「小篆」。從此，文字的變化就不太大了；只有隸書、草書等的差別而已。所以，今天我們所用的文字，可以說大部分都是沿用古代文字的形體。而本書的重點，就是要深入觀察中國最古的文字，尤其是銅器上的文字（金文）及甲骨文；以便使文字的真正意義，更容易為世人所了解和認識。

從這些文化的遺蹟上，我們不但可以看到較優美的文字表達形式，也較容易分析出這些文字的意義。

今天我們所發現的最早銅器，是屬於商朝時代的（西元前一七一一～一一二二年）。在許多銅器裏面都刻上了文字，也就是當時的文體。而另一種為了占卜而刻在龜甲及獸骨上的古老文體，就是所謂的「甲骨文」。

為了明白古代文字的真正意義而開分析文字之先鋒的，是東漢的許慎在紀元前八十六年首先開始。但他的研究成果「說文解字」一書，却到了西元後一二〇年才出版。今天，絕大多數的中文字典，都以「說文解字」為依據；就連最新的文字分析研究，也大部分採用「說文」為根本。然而，由於許慎的時代，道家思想盛行，所以道家思想幾乎完全取代了古代中國人對獨一造物主——上帝的信仰。因此許慎分析文字的標準，自然是以當時的思想觀念為主。這麼一來，怎麼有可能找出古代文字的真正意義呢？難道文字的本意，真的就被人遺忘而成為永遠解不開的謎嗎？

我們拿中國文字與西方的一個古老文獻（希伯來人的聖經）做一個比較，將會得到意想不到的結果：希伯來人的聖經對於天地起源的記載，竟與中國人在中國文字中所包含的觀念一致。**本書的目的之一，就是要結合這兩種不同的古文化記錄，從中找出共同點來。**」

在本書的跋，我們會將說文解字及本書，對於文字分析的方式，作一簡要的評論，相信讀者到那時，就能判斷出本書在文字分析方面的價值。

希伯來人最古老的文獻，大約是在紀元前一五〇〇年寫成的。它比中國最早的文獻，至少遲了七個世紀。這文獻是希伯來人的先知摩西憑人類的記憶、傳統的觀念、及上帝的啓示寫成的。

希伯來人的聖經第一卷書是創世記，它記載了宇宙萬物被造的過程。若我們拿中國人郊祀的吟誦，與創世記的經文來相互比較，這將是一件相當耐人尋味的事。這兩種文獻都一致提到：宇宙的創造者——上帝。請回頭看前面所列舉的吟誦與希伯來人較詳細的文獻記載之間，所有的相似之點：

「上帝開始創造天地的時候，地是混混沌沌的還沒有成形，黑暗籠罩著深淵。」

「上帝說：『在天以下的水要聚在一處，使乾地出現。』事情就這樣成就了。上帝稱乾地為陸地，稱水滙合的地方為海洋。」

「上帝造了兩個大光體，較大的管白晝，較小的管黑夜，又造了星宿。」

「上帝就照著自己的形像造人——上帝照著自己的形像造了男人也造了女人。上帝賜福給他們，對他們說：『你們要生養衆多，使人口遍滿地面；你們要治理這地，管理海裏的魚類、空中的飛鳥以及在地上走動的一切活物。」（註**8.**）

我們看了以上的記載，可以發現中國人的上帝和希伯來人的上帝，其實是相同的。而且希伯來人對上帝的另一個稱呼**SHADDAI**，和中國人所說的**上帝**，兩者的發音非常接近，尤其廣東人和閩南人的方言更是雷同。而一般認為，廣東話是最接近中國古音的語言。

從下一章起，我們就以分析中國的古字，來看看地球上最早的歷史。同時，也將中國古字所涵蓋的意義，與希伯來人的文獻，作一比較。

第三章　古代中國人對地球由來的觀念

在前一章中，我們已解答了上帝的身分之謎，我們可從帝王在邊界舉行的**郊祀**，清楚地知道上帝的身分——宇宙的創造王。

而接下來的問題是：上帝是如何創造萬物？我們不妨再來看看大明會典中關於**郊祀**的另一個**吟誦**：

「帝皇立命兮，肇三才，中分民物兮，惟天遍該。」（註1.）

（語譯：**上帝一下命令**，就有了天、地、人類的存在。在天地之間，他將人與萬物區分開來，而這一切都在天的籠罩之下。）

請注意：以上所引述的句子，已透露上帝是天、地、人及萬物的創造主。而最有意義的是，它提到萬物都是藉**上帝的話語**（**命令**）**而造的**。我們不妨將這段文字拿來與希伯來人的聖經，記載關於上帝（EL SHADDAI）創造宇宙的方式，作一比較：

「諸天藉耶和華（上帝）的命而造，萬象藉他口中的氣而成。」

「因為他說有，就有；命立，就立。」（註2.）

由此可見，中國人和希伯來人對宇宙創造的看法是相同的。只要上帝一開口，說有，就有實質的形體出現。或許這就是上帝將他無限、無形的能力，轉變成有限、有形物質的一種方式吧！從自然定律質量不滅定律中，我們知道能量可以變成質量，而質量也可以變成能量。因此，這更充分驗證了以上的說法。

我們從以上得知，動植物都是因為上帝的命令才存在的。然而，最奧妙的是，上帝只花六天的時間，就把宇宙萬物造好。從一片黑暗混沌之中，造了一個井然有序、美麗可愛的新世界。

關於創造的過程，希伯來人的聖經（註3.）簡要地記載：上帝在第一天造了光，將露在地球表面上的一片黑暗趨走。第二天，上帝將圍繞在地球表面的水分為上下，在其間造了延續生命的空氣。第三天，上帝造了海洋，使旱地露出來，並在旱地上滋生了青草及結種子的蔬菜。

上帝在每一天的創造結束時，看一切所造的都是好的。第四天，上帝造了

太陽、月亮、星辰，使它們規律的運轉，而產生了日期、月份、季節。第五天，上帝使水裏滋生生物，空中有飛鳥；並使它們有繁殖的能力。第六天，上帝說：「地要**生**出活物來……事就這樣成了。」（註**4.**）

我們由以上得知，是上帝「**命令**」要「**地**」上「**生**」出活物來。

這個真理我們可從中國銅器（金文）上的「生」字（註**5.**）得到印證。是由上帝舉起雙手「Ψ」和地土「」（註**6.**）組成的。（Ψ是上帝的象徵，我們稍後會更確定它的意義。）

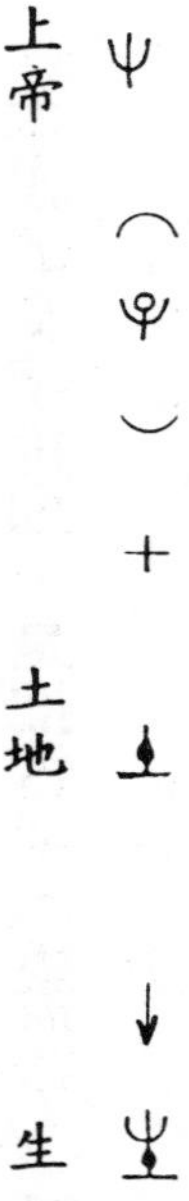

除了生字之外，還有另一個字也記錄了同樣的意義。這個字就是「告」字。在銅器上「告」（註**7.**）是由「生」及「口」組成的。我們從字中可看出上帝創造生物的方式：**上帝**Ψ是以「**口**」「**告**」**訴**「**土**」地要它「**生**」出一切活物的。

以下，我們要先將本書分析文字的方式，作一簡要的說明。或許你在剛開始看時，會覺得複雜難懂，其實它是相當簡單的。

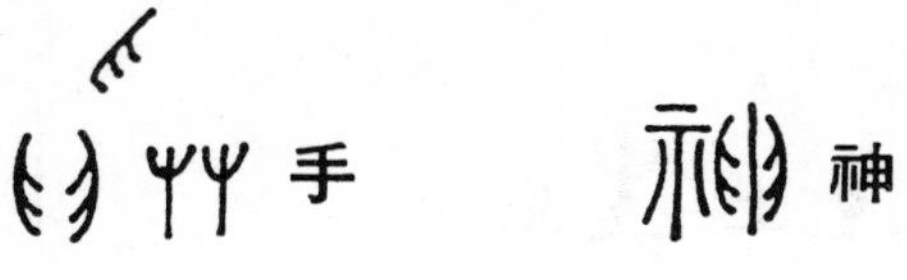

中國古字大部分是以線條組成，若我們在線條上適時的加上一個頭，就更容易看懂它所要表達的意思。

例如：

上帝 土 地 生 口 告

中國文字最基本的寫法是「部首」，據估計總共有二百一十四個。例如：「土」、「口」。兩個部首可組成一個新的部首「生」，或形成另一個文字「告」。**本書的文字排列，是把古字（象形字）與今體字放在一起**。如「告」。

「神」是中國人長久已來對上帝的通稱，或指一切的神明；其實**神跟上帝根本就是同一位**。也許你對這個觀念覺得很新鮮，其實只要你看了神字，就會發現這個稱呼是很有道理的。

雖然人類是在第六天被造，但是上帝卻看人比萬物都寶貴；從「神」字我們可以看出，第一個受造的人類。「神」（註8.）**左邊的部首** 示，**本書認爲它就是用來代表整個「神」字**（以後我們會作進一步的說明）。右邊的部分可能是表示雙手下垂。手下垂的可以用，來表示。以後我們將會發覺它通常用來表示上帝的手（我們以後也會發覺上舉的雙手 艸 ，通常是表示人的手）。

「人」的古字最簡單的寫法是 ㇑ 。所以我們能從神的古字看出有一個人。

示 ＋  ＋ ㇑（ ♀ ）→ 

神（上帝）　雙手　人　神

我們再來看「申」這個部首，它有「指示」、「說明」的意思。從銅器上的  「申」（註9.），我們可以清楚的知道 ㇑ 是表示一個人，因為加上了一個「●」。這個黑點的表示法有 ●（註10.）、◗（註11.），■（註12.）三種，這就是「丁」字的古代寫法，丁的意思是成年的男人。

 ＋ ㇑ ＋ ● → 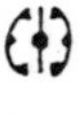

雙手　人　成年男人　申

中、希雙方對地球上第一個人類的看法，是一致的，都認為那個成年的男人是上帝（神）的雙手所造出來的。希伯來人的聖經記載了人類的被造：

「主上帝用地上的塵土塑造了一個人的身體，把生命的氣息吹進他的鼻孔裏，這人就成了有靈魂的活人。」（註13.）

丁 

申 

這個成年的男人名叫「亞當」。在希伯來文中，「亞當」有「塵土」、「紅色」的意思。我們從以下的中國文字中，會驚訝的發現中國的造字者，竟也贊同這個命名。請注意：「土」在銅器上的寫法 ，可以看出是一個成年的男人

● 從地上 一 起來。

丨(♀)＋ ● ＋ 一 →

人　　成年的男人　　地　　土

另一個可能描述亞當受造的字，就是銅器上的「身」字 （註14.）。請注意身與神的發音很類似。

「人」的古代寫法是 （註15.），如果在字形上加一個圓圈表示頭部 ，就更清楚知道是表示人。 除了表示人，也可能表示宇宙的創造者——上帝在一個東西 ⊙ 前面坦露身子。從甲骨文的「身」字 （註16.），我們可以更清楚看出創造者上帝的手 。 表示亞當是從地上 一 被造的；如果你熟悉中國古字的話，你可能知道 ⊙ 是「日」的古字，而 則是「旦」字。「旦」字的意思是早晨，因此亞當極可能是在第六日的早晨被造的。

銅器上的「旦」字 （註17.），表示一個成年的男人 ● 「丁」被太陽 ⊙

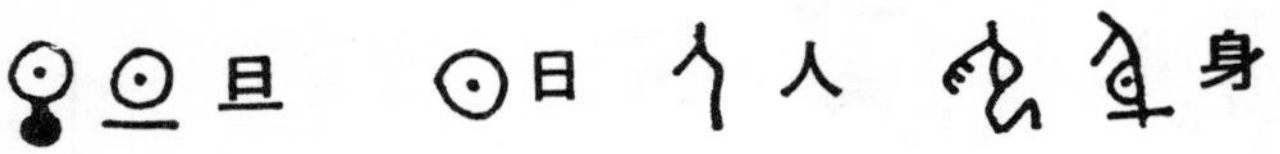

口 ○

火焰 ●

遮蓋了。但是這有什麼意義呢？為什麼亞當以太陽 ⊙ 或被太陽遮蓋來描述呢？事實上，我們可看「口」的古字○（註18.），（「口」字有人的意思，例如人口）而中間的小點 ● 表示火焰。

○ ＋ ● ↓ ⊙ ＋ ● ↓ 旦

口（人） 火焰 日 成年的男人 旦

亞當的外貌就像火或陽光一樣，因為希伯來人的聖經上記載：「上帝說，我們要照**著我們的形像**，**按著我們的樣式**造人。」（註19.）。

你知道上帝（神）是什麼形像嗎？希伯來人的聖經告訴我們；「上帝是**日頭**，是盾牌。」（註20.）又說：「我們的上帝**乃是烈火**」（註21.）。由此可知，上帝的榮耀就像**火**或**太陽**（日）一樣。而亞當有上帝的形像，所以亞當也可以用**火**或**太陽**（日）來描述。

火

銅器上的「火」字（註22.），也支持了本書的觀點。它描述了第一個成年男人—亞當 ● 「丁」，是從地上的塵「土」被造出來的，他的形像不僅像日頭 ⊙ ，也像火。所以拿「人」來當火字的主幹，若不是指第一個成人的男人—亞當—具有火焰般的形像，那麼「火」字不就變得毫無意義了嗎？

—(○—)＋　●　＋　—　↓　土＋丷　↓　火

人　　成年的男人　　地　　土　火焰　　火

「亞當是按上帝的形像造的」這是指亞當原有純潔無瑕、完美無缺的天性，就像創造他的上帝一樣。所謂的「完美」指的是上帝（神）的榮耀，而以烈火或太陽（日頭）來表示。因此，第一個男人（亞當）的身體也具有上帝的榮光。希伯來人的聖經說：「主我的上帝阿，你是多麼偉大，你以尊貴權榮爲衣服，你的光華如外袍一般披在身上。」（註23.）

在東漢，有位學者鄭玄說道：「上帝者，天之別名。」（註24.）。可見中國人的上帝、神、天，指的都是同一位。戰國時代的墨子，也贊成這個說法。我們從墨子一書中，可以發現「天」這個名詞，墨子認為「天」是滿有慈愛的創造者，可見天和上帝是相同的。墨子說：

「今夫天兼天下而愛之，撽遂萬物以利之，若豪之末，非天之所為也，而民得而利之，則可謂否矣。……且吾所以知天之愛民之厚者有矣，日以磨為日月星辰，以昭道之，制為四時春秋冬夏，以紀綱之

天   大 

，雷降雪霜雨露，以長遂五穀麻絲，使民得而財利之，列為山川谿谷，播賦百事。」（註25.）

（語譯：上天厚愛天下衆百姓，施恩給萬物，即使再渺小的東西，都是上天所造的，這份厚愛，使人民都能享受福份，可見上天厚愛萬物，是不可否認的。……我之所以知道上天非常愛護人民，是有原因的。因為天將太陽、月亮、星星分開，以照耀全世界；又定了春夏秋冬四季，為綱紀定律。上天會降下霜雪雨露，使五穀絲麻生長，使人民得以致富享受福利；上天也置了山川谿谷，使各種事業蓬勃發展。）

既然墨子那時代就有天（上帝）的觀念，可見大明會典（明朝所寫）中的上帝觀念（參第一、二章），是承襲古人的觀念而來。

當我們在研究古銅器上的文字時，我們發現古體字中的塗黑部份，可能是指「榮光」。在銅器上的「天」（註26.），上頭塗黑的部分是指天的榮光。若我們看天的另一個古字（註27.）就可更加强我們以上的看法。因為天的上半部是以⊙（日）來描述。「大」是描述一個偉大而尊貴的人體。所以天（上帝）在中國的觀念中，就是一個「尊貴」、披上「威

嚴榮光」⊙的人。另外，神的手，在古字也是「塗黑」的。可見，亞當這個按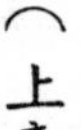天（上帝）形像造的第一個成年男人●，也像天一樣具有「榮光」⊙（參23頁）。

綜合以上論點可知：**在亞當尚未犯罪之前，他的身體有榮光遮蓋著，因此他的外貌具有似火的榮光。**

 赤

希伯來人的聖經記載：

「當時雖然他們夫婦兩人都是赤裸的，他們却不覺得羞恥。」（註28.）

為什麼亞當在上帝面前赤身露體却不覺得羞恥呢？由銅器上的「赤」（註29.）可看出一個尊貴的人「大」和「火」。可見亞當具有上帝的形像。亞當的身體除了有似火的榮光遮蓋之外，並沒有任何蔽體的衣物。在本章前面我們曾提到，希伯來文的「亞當」不但有「土」的意思，也有「紅色」的意思。中國人的「赤」字也有「紅色」的意思。所以中、希雙方很可能都以亞當具有似火的榮光，而以「紅色」來形容他。

希伯來人的聖經記載：

「您叫人只比天使稍微卑微一點，又賜給他榮耀尊貴的冠冕。」（註30.）

文

父

我們在另一個銅器上的古字「文」（註31.），可看到同樣的似火榮光，文有「知識」、「文明」的意思。這個字正確的記錄了亞當是一個文明人。在「文」字中可看到地球上的第一個人（），中間的火焰，是描述亞當具有上帝的形像。

分析了中國古字，使我們知道世界上第一個男人的身體及行為，是完美、尊貴、無罪的，他是從上帝而來，而不是自然地進化而來。因為進化的說法，完全否定了上帝是宇宙的創造者。

銅器上的「父」字（註32），很可能就是描述上帝是我們在天上的父。請注意字體上較黑的部分，它是指上帝的榮耀而言。我們可以再一次看到上帝舉手的樣子。請再回憶一下前面所提的吟誦，它敘述上帝就是萬物的始祖。

「羣生總總兮，悉蒙始恩，人物盡囿兮，於帝仁，羣生荷德兮，誰識所從來，於惟皇兮，億萬兆物之祖真。」（註33.）

（語譯：萬物的開始，都是因為您施恩的緣故；整個天地人類都蒙受上帝您的大愛，萬物都虧欠了您的美德，誰知道這些祝福是從那裏來的呢？哦！上帝，惟有您才是天地萬物真正的始祖啊！）

在銅器上經常可以看到 （註34.），它再次暗示天父  創造了第一個成年男人亞當●。

 卣

從銅器上的 （卣）（註35.），可更了解亞當受造的事實。這一次我們可以看出 （土）做的亞當，他被一個人體 （上帝）圍繞著。但為什麼稱亞當為「器皿」呢？我們不妨回憶一下在郊祀的吟誦中，上帝是以「陶匠」來稱呼。

「皇德無京，陶此群生。」（註36.）

（語譯：上帝您的大德是永無止盡的，您像陶匠一樣造了天地萬物。）

我們把以上中國人認為上帝是陶匠的觀念，拿來與希伯來人的聖經比較：

「但主啊！您是我們的「父親」，我們是「陶泥」，您是「窑匠」，我們都是您親手造成的「（器皿）」。」（註37.）

亞當被稱為「器皿」是很合理的，因為他原本就是泥土所造的！我們早先提過，亞當是在地球上的第一個星期六造好的（參22頁），那偉大的陶匠（上帝

）在當天交給亞當一件很有趣的工作——為動物命名：

「主上帝用塵土造成了野地上各樣的野獸和空中各種飛鳥，他把牠們帶到那人跟前，那人叫牠們什麼，那就是牠們的名字了。那人就給所有的牲畜、空中的飛鳥和野地上的走獸，都取了名字；可是，**他却找不到一個可以跟自己相配的助手。**」（註38.）

本來上帝並沒有打算給亞當一個配偶，但當第六天快要結束時，我們從希伯來人的聖經可以看到：

「主上帝說：那人孤孤單單的一個人，實在不太好。」（註39.）

於是上帝就為亞當造了一個配偶，意思是說一個「**男人**」要有「**女人**」為伴才是「**好**」的。銅器上的「好」，就是一男一女組合而成的。（註40.）

女 ＋ 男 → 好

亞當的配偶是否跟他一樣，是用塵土造成的呢？不是，這不是上帝的旨意（我們將在第四章說明）。但我們相信，當亞當知道上帝特意為他造了一個女人

子 女 好

古代中國人對地球由來的觀念

時他會更喜愛他的妻子！

第四章　肋骨的故事

當第六天的創造將要結束，而太陽也漸漸西下時，亞當心中很納悶：為什麼上帝沒有為我預備一個伴侶？因為他剛剛才為動物命過名，他知道上帝為每一種動物都預備了一個伴侶。

讓我們再回頭看看銅器上「卣」這個古字。它描述了亞當的被造（參28.頁），這個字在銅器上的另一種寫法 [glyph]（註1.），可看出火焰的榮光 •（參23.頁）。我們不妨來看一個與它極類似的字 [glyph]（註2.），這就是銅器上「西」的古字。我們可再次看出上帝的軀體 [glyph]，他包圍了兩個 ⺀ 人 ノ。

[glyph] ＋ ⺀ ＋ ノ（?） → [glyph]

上帝（人體）　二　人　西

可見上帝創造第二個人時，時間大約是在太陽西下的時候。除此，上帝計

卣

西

畫的細節，倒是很耐人尋味的。從希伯來人的聖經記載可知：

「我要為他造一個配偶來帮助他。……於是，主上帝使那人沈睡不醒；然後從他身上取出一根肋骨，再把肉連合起來。上帝用那根肋骨造成一個女人，帶到那人跟前來。」（註3.）

除了「西」字以外，「昏」字是另一個記錄亞當配偶被造時間的字。昏有「結婚」、「傍晚」的意思。從甲骨文的「昏」字（註4.），可以看出上帝（）彎著身，位於亞當這個有似大榮光的人面前（參22頁）。由於昏字有「傍晚」、「結婚」這兩種差距很大的解釋，所以本書對昏字的解釋，應該是比較合理的：上帝對熟睡中的亞當開了第一刀，取了他的肋骨，為他造了一位美麗的妻子。昏字不但提到亞當的妻子是在傍晚被造的，也意謂頭一次婚姻，是上帝親自主持的。

從「肉」這個現代字，我們可看出那關鍵性的「一刀」。肉字是人「入」到「冂」把「人」拿出。我們從肉的古字（註5.），可更清楚看出這「一刀」。

古字中代表一個人（亞當），（子的古字，泛指妻子、男子、兒

昏 

肉  人 

子 　手 

若 

子、後代。）既然  和亞當的身體連在一起，可見子是指亞當的妻子。請注意：是上帝的手  伸到 （人）體內把 （妻子）拿出來。當亞當由沈睡中醒來時，他說了什麼話呢？希伯來人的聖經記載：「她是我**骨中的骨，肉中的肉**，她要稱為『女人』，因為她是由『男人』身上出來的。」（註**6.**）

古代的中國人確實和希伯來人一樣，知道地球的由來和人類的被造。

既然人類被造時有上帝的形像，而且中文「人」字的表示方式是「」；所以古字中描述人的字形「」（例如 ），和描述上帝的字形 （例如  和 ）非常類似。當我們開始分析文字時，就應該有這概念。

「若」字有「相似」、「如同」的意思。本書認為可能是指亞當、夏娃與上帝很相似說的。從銅器上的「若」字 （註7.），我們看出不只有一個「ψ」的符號，「」是三個 ψ 組成一體。這怎麼可能呢？

請再看看希伯來人的聖經記載：「上帝（Elohim）說：「**我們**要照著**我們**的形像，按照**我們的**樣式造人。」」（註**8.**）

在希伯來文中，上帝這個字「Elohim」是一個複數名詞，請注意中文聖經翻成「**我們**」、「**我們的**」也是複數。我們可發現中、希對上帝三位一體的觀念

——雖然是三個不同的位格，但却有一致的目的。（稍後，我們會發現關於「三位一體」的其他例子。）

若 

而甲骨文的「若」字 、 （註9.），可能還有另一種解釋方式：從 可看出亞當舉雙手 敬拜上帝 （ ）。在 可看出「 」，這是女的古字（註10.），可能指夏娃。而 可能指亞當、夏娃舉手敬拜上帝 。

享 

當亞當知道他的配偶竟是他身上的一部分時，他的內心一定非常快樂。而上帝看到第一對夫妻如此的快樂，一定也會和他們同享其樂。從銅器上的「享」字 （註11.）可看出 （卣），卣字有器皿的意思（參28頁）；描述天上的陶匠從泥土造了亞當。在器皿的下面可看出第二個人 ○（口），描述夏娃是從亞當的身體而來的。

上帝　似火榮光　器皿（亞當）　口（夏娃）　享

上帝知道創造兩個人就夠了（「數」足），因為他向他們宣告（「數」告）說：

數  乙  山  造  舟  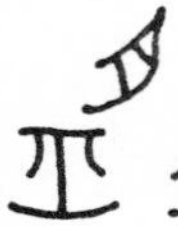

「你們要生養衆多，使人口遍滿地面；你們要治理這地……一切活物。」（註12.）。在銅器上的「數」字（註13.），我們可再次看到描述三位一體的創造主：。請將與「若」的古字比較。（有的人認為交叉的手，這符號描述了亞當、夏娃在敬拜上帝。這也是另一種解釋法。）

我們已經看過天上的「父」覆蓋著一個成年的男人●亞當（參28頁）。我們從銅器上也可看到（註14.），這位天父同樣關心「乙」指第二個人—夏娃（註15.）。我們也在銅器上可看到（註16.），描述了亞當是在一座聖山（註16.）上被造的。（請注意「塗黑」的部分代表「神聖」。）

為更確定亞當和夏娃被造的地點，讓我們來看看銅器上的「造」（註17.）字。

從造字中可看出山、生及告（參20頁）。就是「舟」的古字。雖然「舟」有「船」的意思，但這時候指的是「器皿」。我們剛才提到亞當是個器皿，因為他是用塵土造的。而夏娃後來又是用亞當的肋骨造的。所以亞當、夏娃都是「器皿」。若我們看銅器上另一個舟字（註18.）可看

出兩個彎著身、背靠背的人 + 。

上帝　土　生　口　告　器　皿　聖山　造

我們從銅器上的「有」字(註19.)，也可看出舟的部首。可見天父(註20.)的手中「有」這一對夫婦。第一對夫妻實際上是上帝所擁「有」的。

我們前面提到，第一對夫妻和上帝有很親密的關係(參35頁)。從「神」字的另一個寫法(註21.)，可再次看出亞當、夏娃以日頭⊙⊙描述(參22頁)。上帝是個尊貴的形體，(以人體描述，請與「身」字22頁比較)覆蓋著他們。

神(上帝)　人體　二　日頭　神

從「神」的另一個古字(註22.)，我們可看出第一對夫妻結為一體。這可能是從銅器上的「申」字演變而來的(註23.)。因為世界上沒有兩個日頭「⊙⊙」，所以本書認為⊙⊙應該是指具有似火榮光的亞當和夏娃而言。尤其

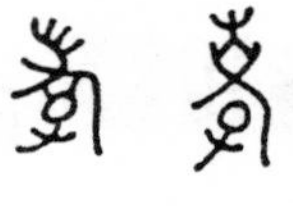孝

凡有兩個ㅂ（口），指的是兩個人（口）。

上帝與亞當、夏娃的親密關係，也可從銅器上的「孝」字（註24.）看出。我們看到上帝高舉雙手大，聰明的古人將「大」（上帝）與「乂」（父）連在一起。我們認為𠂉是指「山」；子（子）是指人、孩子。由此可知，「孝」的最初對象是上帝。所以要孝敬父母之前，先要懂得去敬拜那位最初創造、生養我們的上帝。

大（大）＋乂＋子 → 孝

上帝　父　孩子　孝

銅器上另一個「孝」字的寫法（註25.），字形稍有不同，但意義却完全相同。這裡的「上帝」以三撇「彡」代替。這三撇經常可在中國的古字裡看到。我們認為這三撇卽描述「上帝的存在」，是指三位一體而言。在這個古字中，可看出兩個人子就是亞當、夏娃。

彡＋乂＋＋子 → 孝

上帝的存在　父　二　人　孝

從孝的古字，我們得到一個觀念：上帝是我們的父親，而我們是上帝的「兒

女」。

上帝為亞當、夏娃預備了怎樣的家呢？按古人的說法，家就好像在皇宮一樣。銅器上的宮字（註26.）及甲骨文的宮字（註27.）說得更清楚。在，Ａ可看出兩個人—▽＋▽（口），口＋口—連在一起（，），共同在一個屋簷下生活。而且上帝親自主持了第一個婚禮。希伯來人的聖經記載：「為了這些緣故，男人要離開父母，與妻子結合，兩人要成為一體。」（註28.）

古代「宮」字的另一種寫法（註29.），也很清楚地描述了這事實。從可看出第一對夫妻（呂）連成一體「」（肉體），共同住在屋簷下（宀）。

上帝在六天之中完成了創造的工作。「十」有完成、完美的意思。從銅器上的「十」字（註30.），可看出上帝創造的最後一項工作。這工作就是從「土」「生」出第一個成年的男人，他是十分神聖而完美的。

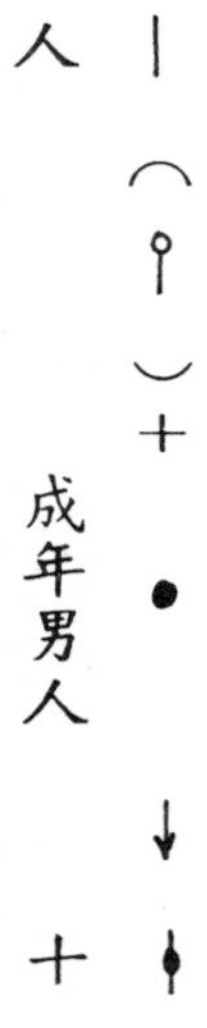

夏娃是上帝在第六天稍晚，從亞當身上取了肋骨造的。當他們造好之後，地球的創造過程也就完成了。我們參閱希伯來人的聖經：

「天地萬物都造好了，上帝既然已經完成所有的工作，因此到了第七天，他就**停下來休息了**，上帝賜福給**第七日**，稱這一天為聖日，因為他在這一天停止了他的創造，**休息下來**。」（註31.）

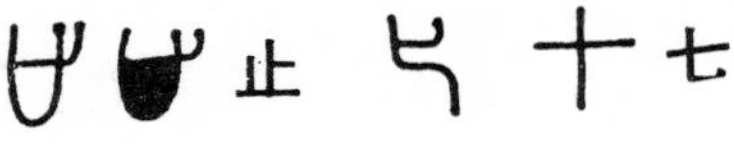

從銅器和甲骨文的「七」字 十（註32.）中，可看出上帝伸出雙手 。「七」的另一個寫法 （註33.），即是描述上帝坐著，舉起手來「祝福」。

「止」的古字，也同樣很有意義。銅器上的止字 （註34.）及甲骨文的止字 （註35.），都是腳的象徵。因為  是「塗黑」的；指上帝在第六天完成創造工作後，停下來休息。請特別注意甲骨文的「祉」字 （註36.）它有神（上帝）亍 及 （止）。這更加強了本書將（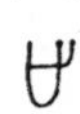）解釋成上帝的腳的說法。

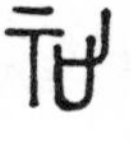 祉

神（上帝）　止　祉（祝福）

宇宙有七天的循環，是從創世時就設立的。從那時候起，就一直保存了下來。中國的成語「**七日來復**」，可能就是因此而產生的。

一週七天，並不是由於太陽、月亮、星辰的運轉而產生的，乃是上帝為了紀念他的創造工作所設定的。上帝把安息日（一週的第一天）賜給亞當、夏娃，是為了讓後代的人能在那一天紀念他造物的偉大。

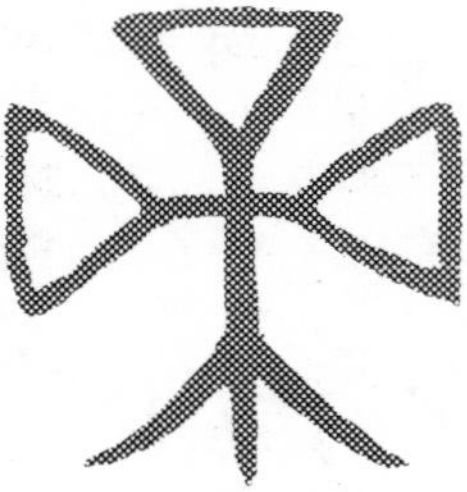

第五章　失樂園的奧秘

從中國銅器上的「元」字[glyph]（註1.），我們得知地球上最「元」始有兩個人[glyph]。除此之外，銅器上的另一個「元」字[glyph]（註2.）描述第一對夫妻擁有無罪的性格，他們都有上帝或天[glyph]的形像。因為亞當是第一位成年的男人●（丁）。所以將○塗黑，表示他是具有上帝神聖形像的人（參25頁）。

二　＋　[glyph]（[glyph]）　＋　●　↓　[glyph]

二　　人　　　　神聖的成年男人　　元

「亞當」在希伯來文的意思是「塵土」。這寓意了他是上帝用塵土所造的。除了看銅器上的「土」字[glyph]（參22頁），我們不妨也來看甲骨文的兩個「土」字的寫法 Ω（註3.），△（註4.）。這兩個甲骨文更證實了亞當這個人（口）○，△是從地一裏所造的（參22頁）。我們同時也得知，亞當為

[glyph] [glyph] 元

Ω △ 土

祖

他的妻子起名叫夏娃，就是「衆生之母」的意思。（註5.）

從甲骨文的「祖」字，（註6.），可看出關於始祖的記載。若我們把甲骨文的「祖」字 Ω，△（代表亞當是由土造的）與甲骨文的「祖」字比較，我們不只看到了亞當，也看到了兩 二 個人，即他和他的妻子夏娃（衆生之母）。在「祖」的古字，我們也可以看到神（上帝）丅，這意味了上帝（神）是宇宙萬物最原始的「祖先」，而亞當和夏娃是按照他的形像造的。

丅 ＋ 二 ＋ 〇 ＋ 一 ↓

神（上帝）　二　口（人）　地　祖

看了「祖」字之後，現在就比較能欣賞甲骨文的「帝」（上帝）字了！從甲骨文的「帝」字（註7.）可發現：帝就是天地間最原始的主宰。那三個口「▽，▷，◁」指**三位一體**。我們把甲骨文的「▽，▷，◁」與「土」△ 比較，就可再一次發現：亞當這個「土」△ 所造的人，具有「上帝」的形像。（請回頭看第三章）

「帝」的下半部 个，是「木」（註8.）的簡寫。本書認為這「

帝

族　　　　氏

木」是指生命樹，而生命樹所象徵的是永生，唯有上帝才能給人永生。（稍後我們會討論生命樹的問題）。甲骨文的「帝」字還有其他寫法（註9.）、（註10.），我們可看出整個「木」（樹）。

從以上我們就知道，亞當是所有「族」類的始祖。我們從銅器上的「族」字（註11.）可看出，這個偉大神聖的成年男人●，就是上帝在他的聖山上所造的。

（）＋ → ＋ ＋ ● →

上帝　山　方　大　成年男人（丁）　族

銅器上另一個有家族意味的字「氏」（註12.），我們可再一次看出一個「十」全「十」美的成年男●人｜（），他是全人類的始祖（與比較，參41頁）。

上帝到底為我們的始祖預備了怎樣的環境呢？我們從希伯來人的聖經就能知道：

「主上帝在伊甸的東邊開闢了一個『園子』，把他自己所造的人安置在裏面。主上帝又使地面長出各種樹木來，它們既好看又能結出美味的果實；在園子的中間又有『生命樹』和『分別善惡樹』。有一條河從伊甸流出來，灌溉那園子，又從那裏分出四條支流……主上帝把那人安置在伊甸的園子裏，讓他『栽種』『看管園中的一切。」（註13.）

在中國的文字中也有類似的描述。一個常用的部首「田」，好像特別就是指這個首創的伊甸園。尤其希伯來人的聖經上記載，**伊甸園是人類所栽種的第一塊田地**：「主上帝把那人安置在伊甸的園子裏，讓他**栽種看管**園中的一切。」（註14.）從銅器上的「田」⊞（註15.），我們乍看之下，像是一塊需要耕種的產業。但是⊞也有另一個意思，在希伯來人的經文中，曾提到伊甸園有一條河，分為四條支流；所以 十 可能指四條支流的意思。這四條支流是從中央分開，朝四個方向而流。

從上面的經文，我們知道伊甸園是天父（上帝）賜給第一個男人亞當耕田（畝）的地方。從甲骨文的「男」和「畝」字，我們也可以發現與希伯來人相同的觀念。從「畝」的甲骨文（註16.），和「男」的甲骨文（註17.），可看出天父把伊甸園 田 給了亞當，「男」是指亞當的手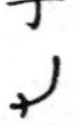在耕田。田的另一個古字（註18.），也讓我們對河的來源有更進一步的認識。

 泉

 園

河多半是從山上起源的，讓我們來看銅器上的「泉」字（註19.），它描述了一個上噴的「泉」，與以上所說的很像。但是請注意：刻在中央的丁，是神（上帝）。

另一個跟「元」字同音的字「園」，也描述了我們始祖的家—伊甸園。從「園」的古字（註20.），我們可看出上帝舉雙手 屮，（參19頁的，33頁的，35頁的，36頁的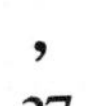，37頁的比較）。到此，屮 是描述上帝的說法已漸漸能令人信服了。從「園」字，我們可看出上帝在山頂上 人，下面的「口」口 是指用口交談，在此之下有兩個人 从（第二人是從第一人旁邊出來的，正如夏娃是從亞當的肋骨造的。參33頁）□ 指伊甸園的外圍。

屮（屮）	＋	人	＋	口	＋	从	＋	□	→	
上帝		山		口		兩個人		外圍		園

請看希伯來人對上帝的山、河、泉源、第一對夫婦等等的說法：「您的公義穩如崇山。上帝啊，您不變的愛是多麼的寶貴！『世人』（亞當、夏娃）都在你的翅膀下尋求蔭庇。您以自己殿裏的豐富餵養他們，又讓他們從您的樂『河』中取水，因為您是生命的源頭（泉源）。」（註21.）我們可再一次發現，

中國文字和希伯來人的聖經對人類第一個家園的記載，有許多共同點：

①伊甸園中有一條河，分為四道灌溉著「伊甸園」田。

②河的源頭是位於園中央的噴泉。

③這個泉源是象徵「神」丁，因為神（上帝）是生命的泉源。

④這園字 圍著上帝的山，就是他的「殿」或「住所」。

⑤兩個人，指人來到上帝面前與他「交談」口。（顯然與上帝交談也包括了吃東西。即吃生命樹的果子及喝生命泉的水。這樣的食物，能使亞當夏娃得享永生。）

⑥伊甸園是天父交給第一個「男」人亞當栽種管理的田，田。

回顧伊甸園中的兩棵樹—生命樹及分別善惡的樹。「在園子的中間，又有生命樹和分別善惡樹。」（註22.）

所以這兩棵很重要的樹，就是位於園子中央那座山上。「方」有地方、中央的意思。從「方」的古字（註23.），可看出一個偉大的人，指上帝。若我們把這些字與銅器上的「父」字（註24.）比較，就可以了解為何十就是上帝的象徵。

父 方

 旅　 梠　 旋　 休

亞當、夏娃每天都旅行回到園子的中央，從銅器上的「旅」字〔古字〕（註25.）可知，古代的書法家的確是很聰明的。因為他們只把「方」的部首〔古字〕拉長，就形成上帝在聖山〔古字〕的寫法。我們也可輕易地認出亞當、夏娃兩人〔古字〕。

上帝 ＋ 山 ↓ 方（中央） ＋ 兩個人 ↓ 旅

另一個含有旅行意思的字「梠」，在銅器上的古字〔古字〕（註26.），也支持我們認為一個「日」〔古字〕，通常是指有似火榮光〔古字〕的人〔古字〕（口）。我們從〔古字〕知道，這是指一對夫妻〔古字〕（參38頁的呂字）。在這裏，可看出這對夫妻〔古字〕每天旅行到生命樹〔古字〕旁（參43頁），吃樹上的果子得享永生。

他們經常回「旋」到伊甸園的中央，從甲骨文的「旋」字〔古字〕（註27.），我們可再一次看出他們的目的地，就是上帝的聖山冂，他們走到那兒，就停下來止（止）與上帝交談〔古字〕（口）。

上帝 ＋ 山 ↓ 中央 ＋ 止 ＋ 口 ↓ 旋（回來）

「休」字是另一個有停止、休息意思的字。從銅器上的「休」字〔古字〕（註

前

28.），可看出一個人（亞當或夏娃）在一棵樹的旁邊。

亞當、夏娃享有來到上帝面「前」的特權。從銅器的「前」字（註29.），我們又可以看出上帝在他的聖山上，而第一對夫妻—以（舟）來描述（參36頁）——來到他的面前。

上帝 山 兩個人（器皿） 前

命

水

他們以「俞俞」（安靜敬畏）的態度敬拜上帝。從銅器上的「俞」字（註30.），我們可看出一座山和一條河。這河是從上帝那裏流下來的。再一次我們可看出第一對夫妻（舟）。

山 河 神（上帝） 舟（兩個人） 俞

所

從銅器上「所」字（註31.），可以看出亞當、夏娃最常去的地方是聖地。在「所」字中我們看到，代表「上帝的存在」（參37頁）。這三橫位在聖山之上，我們也可以看到生命的江河，是從聖山流下來的。

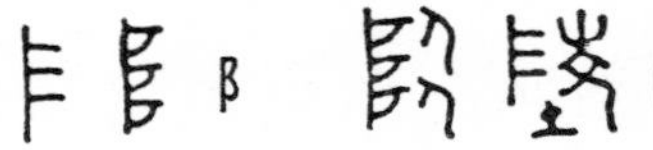

陵

厂 ＋ 三 ＋ 巛 ↓

山　　上帝的存在　　生命的江河　　所

我們從甲骨文的「陵」字（註32.），和銅器的「陵」字（註33.），就能確知伊甸園一定有一座聖山（陵）。我們看甲骨文的寫法，可看出（註34.）乃是「阝」的古字，描述了上帝的聖山。這三個口 品 也指**三位一體的上帝**，和第一對夫妻——（）——亞當、夏娃。所以「陵」字描述亞當、夏娃到聖山上敬拜上帝。從銅器的古字，也可以看出（註35.）乃是「阝」的古字，三 描述了「上帝的存在」。但是銅器上的古字，我們只能看出亞當（以土描述），來到天父　上帝　的面前。

三 ＋ ｜ ↓ 　＋ 　＋ 大（）＋ （）↓

上帝的存在　山的斜坡　阝　土　上帝(大)　父　陵

我們將中國文字與希伯來人的聖經，作一對照：

「誰能登耶和華上帝的『山』，誰能站在他的聖『所』。就是手潔心清，不向虛妄起誓，不懷詭詐的人。他必蒙耶和華賜福……。」（註36.）

可見希伯來人的聖經及中國人的表意文字，確實有相同的見解！即亞當和夏娃能「旅」行到上帝的「聖山」，而站在他的聖「所」「俞」俞地敬拜「上帝」，來到他面「前」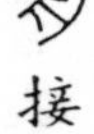接受他的福「祉」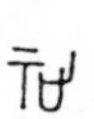。

古代的中國人為什麼對亞當、夏娃來到上帝面前敬拜那麼感興趣，以致在許多文字上，都一再地記錄這件事呢？也許我們繼續往下看，就可以知道真象了。

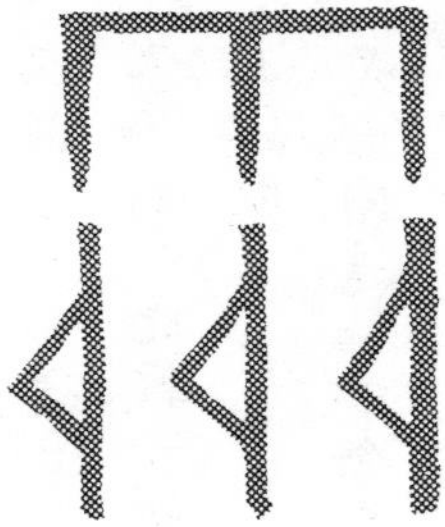

第六章　更進一步了解上帝

可想而知，亞當、夏娃在美麗的伊甸園中生活，一定很快樂！慈愛的天父上帝，供應了他們一切所需，除了讓他們過得舒服之外，並在他們所住的地方，種滿了甜美的果樹和艷麗的花朵，而且有一條河分為四道，從伊甸園中央的聖山上（上帝的住所）流下來。

當我們看到與伊甸園「聖山」有關的字時，就會對這座「聖山」愈來愈感興趣。從希伯來人的聖經上，我們得知上帝歇息的地方「止」（參39頁）或住處，就稱為「聖山」或「聖所」。

我們不妨也來看看甲骨文的「山」字（註1.）、（註2.）和銅器上的「山」字（註3.）、（註4.）。這些古字都具有特別的意義，它們與甲骨文的「火」字（註5.）、（註6.）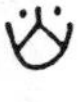（註7.）都極為類似，

 陽

所以本書認為火字，指的是**上帝的似火榮光，遮蓋了他的聖山**  。

請注意銅器上的「陽」字 （註8.），上帝（神）丁在他的聖山 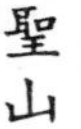（阝）上，他的榮光好像太陽 ⊙（日）一樣照耀大地。

我們不妨把「陽」字中的  和「旦」字中的 （參22頁）作個比較。「旦」字是指第一個成年的男人 ●（丁）具有太陽 ⊙（日）的榮光。而  就是指上帝（丁）具有太陽 ⊙（日）的榮光。由這個比較可看出，中國文字也支持本書的看法—卽第一個人類具有上帝的榮光。

銅器上的「阜」字（阝），除了有 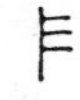 的寫法之外，還有以下的變化：（註9.）、（註10.）、（註11.）。這三種變化都是指：三個口（人）在山上。（請注意這些塗黑的部分代表了神聖。）假如我們再把阜字與陵字（參49頁）比較，就可看出**三位一體的上帝**。從希伯來人的聖經上，我們得知偉大的創造者上帝是以三種姿態顯現：**聖父、聖子、聖靈**。古代的中國人是不是認同這個觀念？我們不妨來一查究竟。

我們前面提過「聖父」ㄨ 顯然參與了創造亞當（參28頁）和夏娃（參35頁）的工作。而在希伯來人的聖經中，對於創造天地的記載，也提到了聖靈。

「上帝開始創造天地的時候，地是混混沌沌的還沒有成形，黑暗籠罩著深淵，上帝的『靈』在水面上運行。」（註12.）

我們將上面這段經文，與「聖靈」在人之生死上的作為，作一比較：

「因為上帝的靈創造了我，全能者的氣息賦予我生命。」（註13.）

「如果上帝只為自己設想，把自己的靈和氣息收回，一切有生命的也就消失，人類也要歸回塵土。」（註14.）

我們從以上的經文可知：「生命的氣息」是從上帝的靈而來。一旦生命氣息被收回，就會造成死亡。所以當上帝以塵土造亞當，並將生命的氣息吹入他的鼻孔時，也就是上帝的靈賜給他生命的時刻了。

「主上帝用地上的塵土塑造了一個人的身體，**把生命的氣息吹進他的鼻孔裏**，這人就成了有靈魂的活人。」（註15.）

「靈」的古字 （註16.），可帮助我們更了解上帝的本性。首先，我們看出上帝（神）丅 在他的聖山 冂 上，並且有生命的江河（以水  描述）從那裏

靈  水 

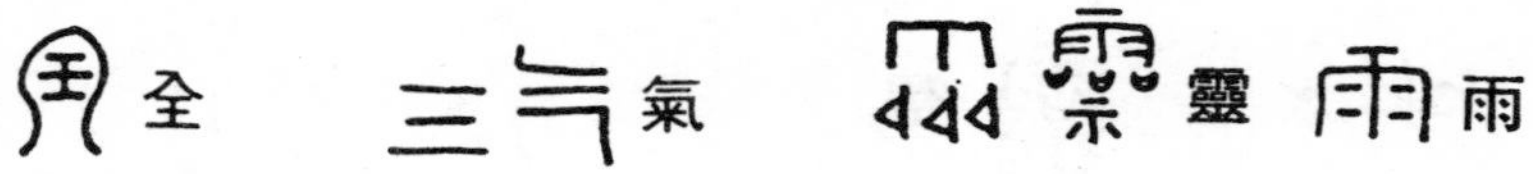

流下來。請注意：ㅂㅂㅂ三個口，再次描述三位一體的上帝。他在創造了亞當、夏娃 人人 之後，就完成創造的工工 作了。

丅 + 冂 + 非 ↓ 雨 + ㅂㅂㅂ + 工 + 人人(人人) ↓ 靈

上帝(神) 山 水(河) 雨 口(三個) 工作 兩個人 靈

如果查看銅器上的「靈」字 靈（註17.），我們可以更確定「靈」是指上帝（神）的靈。因為可看出 示（示）。從甲骨文的「靈」字 靈（註18.）我們也可看出三個口 ㅂㅂㅂ（與甲骨文「帝」字 帝 的▽▽▽比較，更可確定是指上帝的靈。）甲骨文的「靈」 靈，上半部 冂 是指上帝的手。

我們已經提過上帝的靈，與生命的氣息是息息相關的。而甲骨文的「氣」字 三（註19.）非常有意思，因為從中可看出三橫 三。這三橫我們剛才在 卩 看過。回想一下，三橫等於三口（人），例如 卩 卩（卩）。所以我們幾乎能確定這三橫，就是描述三位一體；而我們所得到的結論，就是這三橫意謂「上帝的存在」。從希伯來人和中國人的文獻上可知，生命的氣息是上帝賜給我們的。從銅器上的「氣」字 气（註20.），我們也可看出「聖山」「。

我們看甲骨文的「全」字 全（註21.），它是由 丅 上帝(神)及 三（氣，三位一體）組成的字，强調了上帝的完「全」。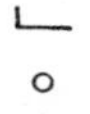的形狀，彷彿「泉」的外形（參45頁）。

丁 + 三 +  ↓

上帝(神) 氣 泉 全

以下來討論「示」（神）這個字，似乎是很恰當的。示字在古代有許多不同的寫法，而最簡單的寫法就是甲骨文 丅 （註22.）。但還有另一個甲骨文的寫法 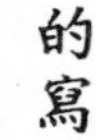 （註23.），它有水的象徵 ；這與另一個古字的寫法 （註24.）很類似。生命的江河，描述上帝有給予生命的能力。請特別注意三橫 。在「兪」的古字 （參48頁）可看出神（上帝）丅 與 川（水）連在一起。同時也再次看到這條河是從聖山  流下來的。

古代中國人對於三位一體的認識，實在太令我們驚訝了。從銅器上的「宗」字 （註25.），我們更確信古代中國人的宗教信仰，就是以三位一體的神  為主。他們確實知道他們先祖的宗教——亞當、夏娃建立第一個家  時的宗教信仰——上帝（神）。顯然中國人的祖先很想把對上帝的認識（三位一體的觀念），永遠地保留下來。

示

宗

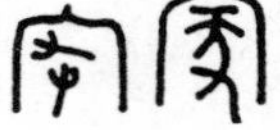

家

在銅器上的「家」字（註26.），可看出（天）和（父）。由此可知，天父上帝是第一個家庭的主。

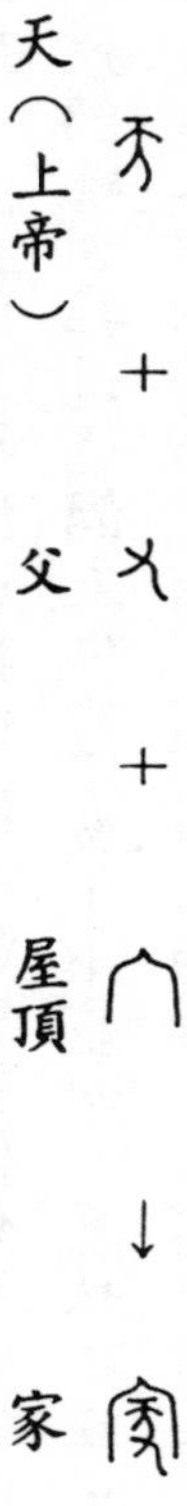

「家」字的寫法後來演變成（註27.），只描述亞當、夏娃兩個人在家裏，而天父並不與他們同在。這個轉變，正與中國人的信仰一樣；中國人本來是相信上帝的，但後來却將他遺忘了。我們從以下幾章中，就可看出第一對夫婦與上帝失去親密關係的原因。

第七章　咬了致命的一口

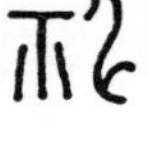

神

子曰：「不知命，無以為君子也；不知禮，無以立；不知言，無以知人也。」（註1.）

（語譯：孔子說：「一個不知道**天**命的人，就不能成為一個有才德的人；不懂得禮節，就無法立足於社會；不能分辨人言的是非，就不能分辨人的好壞。」）

無庸置疑地，起初人類與上帝（神）一定有極親密的關係！這層關係，等一下我們從銅器上的「神」字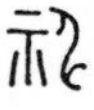（註2.）就可以看出來。「神」字是由示及申這兩個部首構成。申有「指示」、「指導」的意思，也就是說，上帝要指示第一對夫婦。我們從銅器上的「神」字，可清楚地看出這對夫婦＋結合在一起（第二個人形是第一個人形的顛倒）。可想而知，這一對夫婦

一定很渴望、很喜愛和他們的創造主説話，並聽他的指導「申」（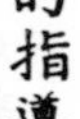）。我們可由「申」字的另一種寫法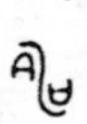，看出的確是指兩個人(口)(參37頁)。由於上帝（神）很希望和他們有親密的關係，所以就將他們列入他名字裏的一部分了。

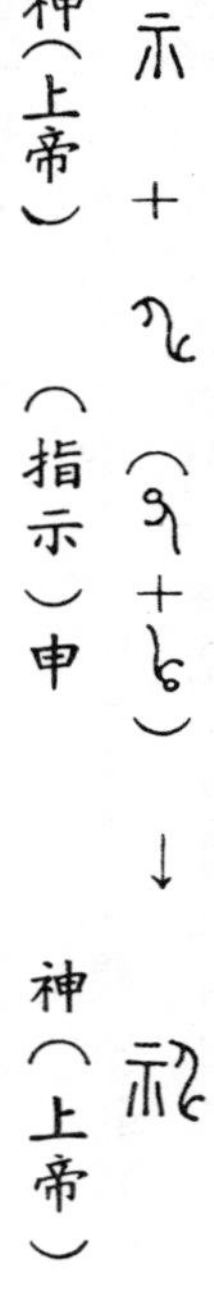

這層親密的關係，我們也可以從甲骨文的「夾」字（註3.）很清楚地看出來。「夾」的意思是被兩個東西箝住。我們從字可看出，上帝是一位偉大高貴的人，他伸開雙手「夾」在亞當和夏娃＋的中間。

然而，這層美好的親密關係，却因一件悲劇的發生，而全毀之於一旦了。由於這件悲劇的發生，使亞當、夏娃與創造主全然隔絕了。

原來，上帝在與他們言談之中，曾一再指示（申）（註4.）他們，要他們防範一個強敵，這強敵是一位很有能力的天使，名叫「魔鬼」。牠因為不滿上

夾 

申 

帝以愛心、公平的方式統治天堂，所以就背叛了上帝。關於魔鬼在天上叛變的詳細情形，我們可以從由上帝啓示所寫成的希伯來文聖經看出：

「你（魔鬼）是智慧、完美的典範。你曾在**伊甸—上帝的樂園**中（天上）……我曾立你為看守約櫃的嗟咯咱天使，你從受造那天開始，你所行的本是無可指責。直到後來……你便充滿暴行，因此看守約櫃的嗟咯咱天使啊！我要從聖山驅逐你，從烈火的石中把你消滅。你因壯麗而**心高氣傲**，因榮華而敗壞智慧，所以**我要把你摔倒在地上**。」（註5.）

除此之外，魔鬼又被稱為「明亮之星」：

「明亮之星，早晨之子啊！……**何竟被砍倒在地上？**……你心裏曾說：『我要昇到天上，我要高舉我的寶座在上帝衆星以上，我要坐在**聚會的山上**，**我要昇到高雲之上**，**我要與至上者同等**。』」。（註6.）

儘管魔鬼在衆天使中享有高位，但牠却不滿現狀。牠妄想使自己成為一個神，而且對上帝創造的大能，十分地嫉妒。因此，牠就在天上煽動一些同樣不滿現狀的天使，散播謠言，且指控上帝是冷酷無情的暴君。最後，天上竟然有三分之一的天使，**加入了**魔鬼叛變的行列。（魔鬼又名撒但）

我們再回到希伯來人的文獻，來看看這件事的記載：

「天上起了戰爭，米迦勒和他的天使出戰巨龍。巨龍和牠的使者極力頑抗，終於不敵，敗下陣來，從此天上再沒有牠們立足之地，牠同牠的衆使者都從天上被摔到地上。原來這巨龍就是那**古蛇**，又名**魔鬼**或**撒但**，也就是迷惑全人類的。」（註**7.**）

無庸置疑地，魔鬼一定想盡了辦法要爭取亞當、夏娃，使他們與牠聯合一起去對抗上帝。從以上希伯來人的聖經記載中，我們要特別留意一件事：位於聖山上的上帝寶座（天堂），又稱為「伊甸園」。由此可知，**上帝在創造地球之初，爲亞當、夏娃預備的伊甸園，實際上是天堂的縮影**。

在伊甸園的聖山上，上帝每天都會和亞當、夏娃談話，在言談之中，上帝一再禁止他們靠近園中央一棵很特別的樹——「分別善惡樹」。上帝告訴他們，樹上的果子不但不可以吃，連摸一下都不可以。這個考驗雖小，但却關係重大；因為上帝要利用它，來考驗他們對他是否忠心。

上帝警告（戒）過這對夫婦，叫他們千萬不要吃這棵樹上的果子。我們從甲骨文的「戒」字（註**8.**）可看出神 丅（上帝）一再告誡他們，叫他們不要拿（以手  表示）這棵樹  上的果子。

戒

亍 + 丫 + 十 + 木 ↓

神（上帝） 手（拿） 樹 戒

上帝在創造地球的第六天（甚至尚未創造夏娃以前），就告誡亞當說：「你可以隨意吃園中各種果子，只有那棵分別善惡樹的果子，却不可以吃，因為你吃了它，就必定死。」（註9.）

中國字的「杜」字，有「禁止」、「限制」、「停止」的意思。我們看銅器上的「杜」字（註10.），一定指的是那棵禁樹。因為在「杜」這個字上，我們也看到了一個受造的成年男人●，他是從塵「土」造成的；可見上帝頒佈的禁令，也正是針對亞當說的。中國文字所表達的意思，真是貼切極了。因為在「杜」字中，並沒有把夏娃寫上去，因為那時候她還沒有被造呢！

但是，想必夏娃稍後也知道了這個禁令。因為禁令是要他們兩人一同來遵守的。

在另一個有「阻止」、「停止」意思的字——「禁」，我們可以看出它特別提到了神（示）的命令。也許你還記得，在伊甸園的正中央有兩棵樹，一棵是「生命樹」，另一棵就是神秘萬分的「分別善惡樹」。在「禁」（註11.）

杜

禁

的古體字中，我們看到這兩棵樹 林 是位於聖山上 冂（山），（以樹根延伸來做為「山」字的象形）。也就是說，上帝 示 發佈命令，不准他們靠近位於山上的那兩棵樹。

那時候上帝可以直接對人（亞當）說話。由「侃」字就可得知這個事實。「侃」有「直接說話」、「不斷說話」的意思。在銅器上的「侃」字（註12.）可看出上帝 彡（參54頁的氣字）以口 口 對人 入 說話；而且是直接的說。

彡 ＋ 口 ＋ 入（?）→
上帝的存在　口（說話）　人　侃

上帝不但直接對人說話，而且是用愛心來說。他的話其實就是一個神令「旨」。「旨」有「神令」、「天意」的意思。從銅器上的「旨」（註13.）可看出（）是描述一個偉大的人體（上帝），口（口）是描述上帝的宣告。口 中間的點是描述上帝的榮光（參31頁）。如果人背叛上帝的話，那麼這個宣告就是「死」。

侃

旨

有一天，夏娃與亞當分開了之後，她獨自走在伊甸園中央的那條路。走著走著，她突然聽到一個很陌生的聲音，這聲音既不是亞當的聲音，也不是上帝

休 

夷 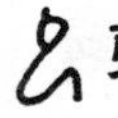

鬼 

的。那麼，到底是誰呢？聲音似乎是從分別善惡樹的枝幹上傳來的，所以她出於好奇心就停了下來。「休」字有「停下來」的意思。從銅器上的古字（註14.）可看出，夏娃一個人（）停在分別善惡樹的旁邊。

哇！原來說話的，竟是盤在樹枝上的一條美麗的蛇。是誰喬裝成蛇，在對不存戒心的夏娃說話呢？我們從甲骨文上的「鬼」字（註15.），可充分看出這個偽裝者就是抵擋上帝的人—魔鬼（又稱古蛇、撒但）。鬼是被排除在伊甸園 田 之外的人（）。就是「夷」字的甲骨文寫法（註16.），夷字有陌生人（外來之人）的意思。這個觀念與希伯來人的觀念是一致的。

我們除了看甲骨文的「鬼」字，不妨看看銅器上的「鬼」字（註16.）。雖然這兩個字體稍有不同，但總而言之，都非常切合原意。是指伊甸園 田 之外的人，用手，摀住口（鬼鬼祟祟），不敢明目張膽的說話。鬼字現在的寫法則把改為「厶」（祕密、隱藏的意思）。也就是說，魔鬼是一個在伊甸園外的隱祕人物。

咬了致命的一口

魔鬼好不容易逮著機會，趁夏娃獨自一人時接近她。魔鬼早就有預謀，想秘密的「ㄙ」用甜言蜜語來引誘夏娃；所以牠一開口就問：

「上帝真的說過不許你們吃園中任何的果子嗎？」（註17.）

我們從夏娃的應答中，可以知道她一定很了解上帝下的禁令：

「我們可以吃園中的各種果子，但中央那棵樹的果子，上帝卻曾經吩咐我們說：『你們不可以吃，也不可以摸它，不然**你們就要死**。』」（註18.）

但心懷詭詐的魔鬼卻嘲笑著說：

「這是騙你們的，你們是一定不會死的。上帝這樣吩咐你們，是因為他知道你們吃了這樹的果子以後，眼睛就會明亮，像他一樣懂得分別善惡。」（註19.）

夏娃一聽，便立刻相信蛇的話了，以為可以不死；或許上帝只不過是想把好東西留起來不給他們吃罷了！所以當她抬頭看樹上的果子時，她的內心就起了非分之想—貪婪。從甲骨文的「婪」（註20.），可看出樹旁是個**女人**（註21.）而**不是男人**。由此可知，女人是第一個背信、不聽上帝警告的人。

「於是就摘下來吃了。」（註22.）

這個人類史上的悲慘污點，也藉著另一個字—「始」—記錄了下來。「始」有

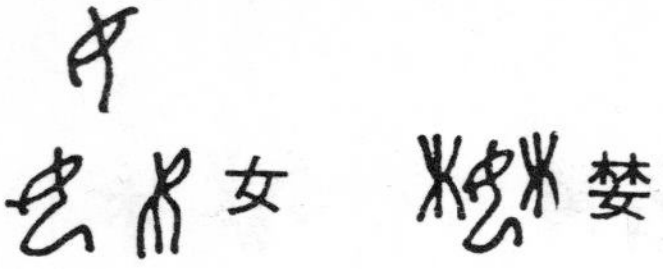

始 

「開頭」、「起初」的意思，它寓意人類犯罪的由來。從銅器上的「始」字（註23.），可看出女人暗地裏吃了禁果。（吃東西要張口，故象徵吃）。由「始」的另一個古體字（註24.），也可看出相同的意思：女人暗地裏張口吃，（「厶」是暗地裏的意思。古體字就像一顆果子要掉入女人之口）。

女人 + 暗地裏（厶） + 口（吃東西） → 始

夏娃不但自己吃了禁果，「還把果子遞給陪伴著她的丈夫，他也吃了。」（註25.）

這麼一來，亞當同夏娃一樣，也掉進魔鬼的陷阱裏去了。「兩人的眼睛果然明亮起來，這才發覺自己原來是赤裸的。」（註26.）他們受騙了！因為有了辨別的能力，不僅對他們沒有好處，反而使他們失去了象徵他們完美無缺、酷似上帝的「榮光」；且使他們察覺到自己原來是赤裸的，於是他們在倉促間就「用無花果樹的葉子編織成裙子，圍在腰上。」（註27.）

可想而知，當他們對自己的赤身露體感到羞於見人時，却正是上帝要來造訪他們的時候了；為了應急，他們只好立刻採了無花果樹的葉子，來充當衣服穿。我們從甲骨文的「衣」字（註28.），可看出亞當和夏娃（夏娃是由亞當的肋骨所造的）。在後來發明的字體（註29.）我們可更清楚的看出，這對夫婦（）孤零零地站在聖山（）上，而上帝却不在當中。

衣 

想想看，只不過幾分鐘之內，魔鬼的詭計就得逞了。牠使人類第一個家庭與上帝的關係斷絕，並使他們對上帝猜忌、懷疑，而不再像從前一樣信靠及愛戴了。

「裸」字（註30.）充分表達了人類所以需要衣服的原因。由於人類吃了伊甸園 田 分別善惡樹 木 上的果子，所以必須找衣服來遮蓋赤裸的身體。

田 + 木 ↓ 果 + 衣 ↓ 裸

伊甸園　分別善惡樹　果　衣　裸

裸 

果 

由於他們明知故犯、吃了禁樹上的果子，這種不順服的舉動，使得他們失

降 

去了吃生命樹上果子的機會。伊甸園中央第二棵樹——生命樹，是棵很特別的樹。人只要不停地吃其上的果子，就能永遠活著。而上帝原來的計劃，就是要他們每天吃生命樹的果子，使他們永遠活著。但這個舉動卻使他們永遠失去了吃生命樹果子的機會。因此我們可從「棵」字看出亞當、夏娃赤身露體的光景。

但上帝在這個時間，就快從天而「降」了（註31.）。「降」字有由上而下的意思，表示動作。在此我們可看出上帝的腳（兩腳是指正在移動）。而一腳（參39頁）是指停下來。注意腳的方向是往下，意謂上帝是從上而下，來到他的聖山上（參52頁）。其實，上帝早已知道發生了什麼事；所以當他看到這對夫婦，穿著臨時由無花果葉所拼湊成的衣服時，上帝就問道：

「難道你們……吃了我吩咐你們不可吃的果子嗎？」（註32.）

接下來就是人類一連串的指控及藉口：

「亞當回答說：『是您賜給我作伴的那女人，摘了樹上的果實給我吃的。』……女人自辯說：『是蛇叫我吃的』。」（註33.）

你看看，眨眼之間，亞當、夏娃竟也學會魔鬼這個大騙子的技巧、指控。我們從「鬼」的另一個寫法（註34.、參63頁），可知撒但——魔鬼，

鬼 

來到「神」示面前，控告（以口 ㅂ 象徵）亞當、夏娃不服從上帝的命令。因此，上帝（神）第一個就對撒但（就是衆所皆知的「古蛇」、「龍」、「魔鬼」）說：

「祢和女人要結下仇怨，祢和她的後代也要世世為仇，女人的後代必打傷祢的頭，祢必傷牠的腳跟。」（註35.）

上帝在對他敵人（撒但、魔鬼）所說的話中，第一次提到他對人類有一個最偉大的救贖計畫：即從女人的**後代**中，要生出一個**救主**（也就是所應許的「**後裔**」）；他要毀滅、擊敗魔鬼和跟隨牠的天使。而在執行這計畫時，**救主**會為有罪的人類代受極大的痛苦。這位**救主就是三位一體中的「聖子」**。有一天，他會以人的樣式降臨世上。

而後，上帝就對夏娃說：

「我必重重地加深你懷孕的**苦楚**，妳分娩的時候也必受痛楚。雖然這樣，妳必戀慕自己的丈夫，妳的丈夫也要作你的主人。」（註36.）

可想而知，懷孕本來的用意，是一種很愉快的經驗。但由於女人犯罪了，使身體大不如前，因此懷孕也就不再那麼愉快了。所以大多數的婦女在生產時

  楚

，都要備受生產之苦。而這時候，丈夫就得以管治妻子，使妻子從原來與丈夫平等的地位上降低下來。

夏娃苦楚的由來，我們可從甲骨文的「楚」字 （註37.），再一次看出兩棵樹 ，而女人就站在樹中央，這個字不但以口  來表示她吃了禁果，也以一腳  表示她不智地停止  了下來。我們從銅器上的楚字 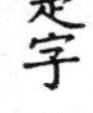（註38.），更可看出一個人的手臂  伸到樹  上，去摘東西 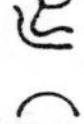（疋）。從「楚」字可明顯地看出，夏娃在兩棵樹下伸出手要摘東西；而這種行為自然導致她要受苦了。

若我們要正確地詮釋文字，就必須和造字者一樣，要對最原始的歷史有所了解。

到最後亞當的後果怎樣呢？他的痛苦也很特別。上帝說：

「因此，地就必因你而受咒詛，你必終身艱辛勞苦，才能嚐到地裏出產的食物。你要汗流滿面，才可以維持生計，你要辛勞一輩子，直至歸回黃土的時候，因為你是從塵土而來的。」（註39.）

從甲骨文「困」字的寫法 （註40.），可知困難產生的原因。夏娃停止

困  死 

咬了致命的一口 在禁樹（木的簡寫）下。「困」字有「難題」、「麻煩」、「圍困」、「煩惱」的意思。在古字中（註41.）可清楚知道：在伊甸園內吃下禁樹之果，是人類開始有困難的原因。由於人不順服偷吃了禁果，所以上帝就以「死」（註42.）作為懲罰。上帝在聖山上，對罪人判了「死」刑。

從甲骨文的「死」字（註43.），可看出亞當這個尊貴的人，在伊甸園內接受上帝所判的死刑。

事實上，亞當、夏娃犯罪後，仍然繼續活了下來。這使我們知道「死」刑的宣告，不是立刻執行的，而是人生必有的歸宿。人類從此再也享受不到長生不死的特權了。以上所說的「死」，是肉體上的死。而靈性的隔絕—死，却是立卽的；因為上帝不再與他們同在，他們失去了與上帝面對面交談的機會。可見，罪會使人與無罪的上帝隔絕。因此，上帝宣判亞當要歸回塵土：

「你本是塵土，仍要歸回塵土。」（註44.）

中國有句格言：「人之初，性本善」，這話真是一點也沒錯！然而，由於人類故意犯了一件罪行，使人類失去了那種完善、無罪的性格。(罪卽亞當吃下他妻子夏娃給他的禁果，雖然他明知這麼做是有違上帝的命令，**但他卻聽了妻子和魔鬼的話，而忽略了上帝的警告**）。這罪使亞當與上帝的關係隔絕了，而上帝乃是一切生命的源頭；所以，亞當、夏娃旣然與這位生命的源頭隔絕，也就是說他們將會**死**，因此「死亡」就成為一種無可避免的結局了。

咬了致命的一口

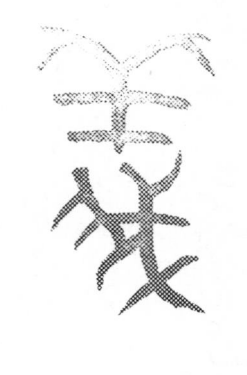

第八章　上帝寶貴的救贖計劃

魔鬼曾宣稱上帝是暴君！如果上帝因著亞當、夏娃連最起碼的要求都做不到，就視他們為無可救藥，而丟棄他們的話；那麼，我們也許會贊同魔鬼的說法。然而事實却不然。上帝不但沒有丟棄他們，反而給他們希望。上帝應許他們，要在女人的**後裔**中，為他們預備一位**救贖主**。除此之外，上帝還進一步的詮釋：這位將要降臨的**救主**對人類的大愛。

當上帝看到他所深愛的亞當、夏娃，竟拿無花果樹的葉子充當衣〈ㄧˋ〉服（參66頁）穿時，他的內心一定非常難過。所以他想為這對困窘的夫妻做一套皮衣穿，於是就主持了一個既莊嚴又富象徵性的儀式——犧牲（殺）了無罪的動物（大概是綿羊），取其皮而製成衣服。

希伯來人的聖經記載：

「上帝為亞當和他妻子，用皮子作衣服，給他們穿。」（註1.）動物被殺，是象徵上帝將要使他無罪的**獨生愛子**降世為人，像贖罪羔羊一般，為世人的罪而死。

初 

做衣服給亞當、夏娃穿的事實，也可以在許多中國文字裏發現。上帝救贖人類的最**初**步行動，就是供應**衣**服給亞當、夏娃穿。從甲骨文的「初」字 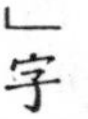（註2.），我們可看出他為這對犯了罪的夫妻，做了具有象徵性的皮衣 。這皮衣是用**刀**  子從動物的身上取下來的。我們又可看出這對夫妻  是在上帝的聖山∧上。

袁 

「袁」字也有「袍子」（衣服）的意思。從甲骨文的「袁」字 （註3.），我們可以看出袍子  是上帝  所供應的。在這個字中，我們可以看出上帝  在他的聖山上∧（請與45頁的 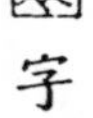 字比較）。我們又再次看到連在一起的人體 ，他們穿上了象徵公義的袍子，這公義，是將來上帝的獨生子要藉著死所成就的。

∧	+	 ↓		+		↓	
山		夫婦	衣		上帝		袁

依 

另一個用了「衣」部的字是「依」字，有「饒恕」、「依靠」、「順從」的意思。從甲骨文的「依」（註4.），可看出在衣的字體中嵌入了一個人（描述上帝）。上帝供應了袍子給這對夫妻穿，不但饒恕了他們的罪，而且教導他們要依靠祂，以便脫離永遠的死。

卒 

「卒」字有「死亡」的意思，甲骨文的「卒」字（註5.），描述了必須有無辜的動物死（卒），上帝的手才能供給第一對夫妻衣服穿。

我們猜測那些被當作犧牲品的動物，可能是**羊**。因羊這動物比其他動物更能象徵上帝的**獨生子**。正如後來他被稱為「上帝的羔羊，就是除去世人罪孽的那一位。」（註6.）

義 

在銅器上的「義」字（註7.）中，我們看到羊像一件衣服般，覆蓋在我之上。「義」字的下半部「我」，是指我跪在上帝羔羊的面前，羊的死及他的血覆蓋了我；（羊在我之上，意謂藉著上帝羔羊的血，使我得潔淨

我 

、稱義）。「我」字的左邊 ⺕ 是指手，右邊 𢦏（戈）是指武器。意味著我的手拿了武器殺死羔羊，我的罪為上帝純潔無罪的羔羊帶來了死亡。

⺕ ＋ 𢦏 ↓ 我 ＋ 羊 ↓ 義

手　戈　我　羊　義

除「義」字之外，我們從「美」字也可看出這個事實。

從甲骨文的「美」字 美（註8.），可看出一個尊貴的人 大（亞當）。但從另一個甲骨文的美字 美（註9.），卻可看出一個女人 女（夏娃）。當上帝羔羊 羊 的血遮蓋他們的時候，他們在上帝的眼中，就是聖潔美麗的，因上帝只看到他的獨生子；故以無罪的羔「羊」 羊 描述。

「主上帝又說：『看哪，那人既然跟我們相似，能分辨善惡；**現在恐怕他又會伸手去採生命樹的果子來吃，這樣他就永遠不死了。**』因此，主上帝就把亞當趕出伊甸園，要他耕種土地；上帝趕走了亞當以後，就派遣天使嗟咯咱在伊甸園東邊駐守，又用一把四面八方旋轉、發出火焰的劍，**守護在通往生命樹的路上。**」（註10.）

有趣的是，在古史逸周書記載：

「古時因世人犯罪，天帝（上帝）乃命重與黎二人**堵絕天地通路，使上下不相來往。」**（註11.）或許重與黎二人，就是看守伊甸園東門兩旁的天使！

上帝把亞當、夏娃從伊甸園趕出去之後，每當他們走過園子的東門時，他們才覺悟到自己已錯失了生命樹所供應的永生了。從甲骨文的「門」字（註12.），我們可看出不但指上帝的雙手，也指基路伯天使；（請與「義」字的比較，參75頁）及一道障碍、藩籬擋住了門。我們從銅器上的「閑」字（註13.），（「閑」有「欄栅」、「防禦」的意思）可看出是為了防止他們擅自偷吃生命樹的果子。在「門」的另一個古字（註14.），可看出門口有（表示上帝的存在。參37頁）代替雙手的寫法。因此，那似乎意味著伊甸園的東門會成為敬拜上帝的新地方。（因為罪使他們無法站在伊甸園的聖山上，與上帝面對面相見。）

亞當、夏娃被逐出伊甸園後，他們必定會覺得很孤單，我們從銅器上的「單」字（註15.），可看出這對連合成一體的夫妻在伊甸園之**外**。「禪」的古字（註16.），使我們得知他們雖然背叛了上帝，卻仍然沉思默想（禪想）上帝的恩典。

禪

我們曾經說過，上帝為這對不配得的夫妻作了衣服；而「禪」字就有「衣服」的意思。我們從「禪」的古字（註17.），可以看出這一對夫妻，雖然他們被趕出了伊甸園的家，但上帝卻供應他們衣服穿。

\+ ↓ + ↓

夫妻　田（伊甸園）　單　衣服　禪

「禪」字還有另一個很有趣的意思，就是把地清理乾淨，當作祭祀的地方。或許這是人類離開伊甸園，所做的第一件工作之一。因為他們身處異域（陌生的環境），心中勢必很想與上帝交通。我們從甲骨文的「異」字（註18.），也可看出在伊甸園之**外**有一個舉手下跪的人。舉手下跪乃是一種典型的敬拜姿勢。我們從銅器上的「異」字（註19.），可看出連合在一起的手，或許這意味了兩位崇拜者的手。

異

（ + ） + 田 ↓

兩個手　伊甸園　異

「蘄」字有「祈求」、「尋找」的意思。我們從銅器上的「蘄」字（註20.），可看出亞當、夏娃這一對夫妻，在伊甸園的邊界**外**祈求；而上帝是在伊甸園的聖山上；這山就是生命的河水川 發源的地方。

＋車＋卜（卩）＋乁＋川↓

夫妻 邊界（園子） 上帝 山 河 斬

伊甸園的東門，就是第一對夫妻向上帝求「問」一切需要的地方。我們從甲骨文的「問」字（註21.），可看出人站在伊甸園的門 口與上帝說話ㅂ（口）。

我們從銅器上「羔」字（註22.），可看出一隻毫無瑕疵、無罪的綿羊羊，這羊是在東門外，用火（灬）獻為祭的。這象徵了未來的**救主**，將像羔羊一般獻為祭。因此拿動物獻祭的儀式，遂成為敬拜典禮上很重要的一部分。

我們從甲骨文的「祀」字（註23.），可以看到一個人在鞠躬（），並用手 把東西獻給上帝丅。從銅器上的「祀」字（註24.），可看出一個人 跪在上帝示 的面前。從「祀」的另一個古字（註25.），我們能確實地知道，向上帝 獻祭的儀式，都是在伊甸園田 **外**舉行的，因為我們看到了連合的雙手（指亞當、夏娃＋）在敬拜上帝（

斬

問

羔

祀

祭

犧

與「異」的古字比較，參77頁）。

「祭」字是另一個有獻祭意思的字。我們從銅器上的「祭」字（註26.）可看出一個手在服事上帝示。回想「舟」的古字（參、、36頁。、、48頁）。舟指「器皿」，也就是兩個背靠背鞠躬的人。「舟」的部首與「肉」的部首常常互相通用。因為在肉字中，也可看出兩個人 ＜＜（參 32頁）。

器皿 ＋ 手 ＋ 神（上帝） → 祭

從甲骨文的「祭」字、（註27.），可清楚地看出兩個敬拜者舉起手、，在崇拜上帝、示。ㅂ（口）是指他們彼此交談。

至於獻祭時所獻的祭物，我們從「犧」的古字（註28.），會發現綿羊並不是唯一的祭牲。除了獻綿羊以外，也包括了獻牛犢。（牛）指公牛，（羊）指公綿羊，（秀）指完美無缺（唯有如此，才能象徵未來的救主——上帝的獨生子。），（戈）指武器。

我們拿「犧」字，來與上帝教導希伯來人的話作一比較：

「你要在主面前獻上一隻公牛犢作贖罪祭，一隻公綿羊作燔祭，這些祭牲都是要毫無殘缺的。」（註29.）

「犧」字的發音與「夕」字及「西」字很類似。這也許意味了「犧」字與傍晚的獻祭有關。我們已經知道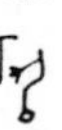「祀」字的「巳」，是指九至十一時的這段獻祭時間。可見，在中國文字中就記錄了一天有早、晚兩次獻祭的事實。這個說法與上帝指示希伯來人的話相同：

「你們每天要獻上兩隻一歲的小羊作燔祭，一隻在早晨獻上，另一隻就在黃昏獻上。」（註30.）

綜合以上，我們可以更了解希伯來人的聖經，對亞當、夏娃的頭兩個兒子（該隱、亞伯）的記載：

「亞伯是畜牧的，該隱却是個農夫。到了收成的時候，該隱就把耕種所得的果實獻給主作禮物。亞伯也帶來了頭生的羊和牛的脂油獻給主。主喜歡亞伯和他的獻祭，却不喜歡該隱和他的獻祭。於是該隱便大為憤怒，面露慍色。」（註31）。

由此可知，該隱所帶的供物並不適於獻給上帝。（因為地裏出產的植物，

兇　　兄

並不能象徵未來的**救主**。）所以上帝並沒有收納它。除此之外，該隱本身就具有强烈的叛逆性，他完全只憑個人的喜好獻祭，而不遵照上帝的命令去做。以致當上帝悅納亞伯的祭物時，他因嫉妒而生恨，就殺了自己的親弟弟。

甲骨文的「兇」字（註32），就記錄了這個殘酷的謀殺事件。我們先看與「兇」字讀音相同的「兄」字，甲骨文的兄字（註33.），這是指亞伯的長兄該隱。請注意在字形中，該隱抓住他的弟弟亞伯（）。有趣的是，在兇字中有一個 × 的記號。而希伯來人的聖經記載：

「主就給了該隱一個記號，免得他被殺害。」（註34.）。

請注意「兄」字中本來沒有 × 的記號，是該隱殺死亞伯之後才有了。於是上帝就把該隱放逐，任他在地上流離飄蕩。從此，「該隱就離開了上帝」（註35.）。該隱既犯下了如此大罪，以致再也不能回到伊甸園的門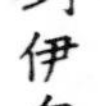（上帝同在的地方）去敬拜上帝了。而他和他的妻子，只好四處流浪去了。因此，該隱就成了具有叛逆性格的鼻祖。

在人類歷史中，除了有反叛上帝的人之外，還有一些是對天上的神（上帝）心存感恩的。所以凡是關於上帝的知識，及他對世人的救贖計畫，都是靠這

些人才得以保存下來的。希伯來人就是敬拜「El Shaddai」的人之一（參16頁）。而中國古人似乎也是這位創造主所喜悅的民族之一。

雖然，現代的中國人早已遺忘了關於上帝的知識，但是這些神聖的歷史記錄，將永遠保存在古代的中國文字中；而且這些隱秘的知識，正有待世人去發掘呢！如此，才能使東、西雙方重新認識上帝「El Shaddai」、信靠他。

第九章　解答孔子未解開的謎

人類崇拜上帝的新地點，是設在伊甸園的東門。我們可以從中國文字及希伯來人的文獻中，得知這個事實：

「上帝趕走了亞當以後，就派遣天使嗪咯啪在伊甸園東邊駐守，又用一把四面八方旋轉、發出火焰的劍，守護在通往生命樹的路上。」（註1.）

「門」部 門 、（參76頁），不僅描述了上帝的雙手 （請與20頁的 ，33頁的 ，32頁的 ，54頁的 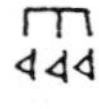，74頁的  比較），也描述上帝的存在 （請與48頁的 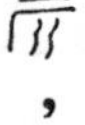，49頁的 ，54頁的 ，55頁的  比較）。因此伊甸園的門，就成了新的聖所。

本來敬拜上帝的聖「所」（參48頁），是位於山上厂（請與51 52頁的 ， 比較）。在亞當、夏娃尚未犯罪之前，他們本來可以在那裏和上帝

見 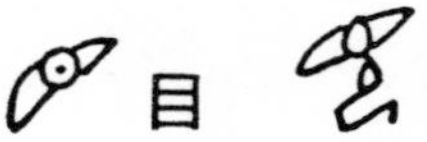 目

見面。從甲骨文的「見」字（註2.），及「目」字（註3.），可看出一個人跪下來敬拜。請注意「目」字的字形，目中的虹膜，其實就是指（日）；瞳孔則指火焰・、榮光。日描述了上帝，同時也描述了具有上帝形像的人（參22，23頁）。希伯來人的聖經記載了上帝所說的話：「因為凡侵害你們的，就等於侵害他的瞳人一樣。」（註4.）

所謂的瞳人就是中的。

目中的 ＋ 上帝（日） 人 ↓ 見

當亞當、夏娃被趕出伊甸園之後，崇拜上帝的地點，就改在伊甸園的邊界。「園」有「邊界」、「界限」的意思。我們來看看甲骨文「園」的兩種寫法：（註5.）、（註6.）。在中我們很容易看出一個崇拜者（），是描述上帝。（上帝）的脚與的角（羊的簡寫）連在一起。在中沒有描述崇拜者，但是（口）描述了與上帝交談的事實。是描述伊甸園的外圍。我們也能清楚的看到以羊來獻祭的事實。

因此，**伊甸園的東門就成了邊界**，同時有嗑啗啪防守這**邊界**。除了以上所

園 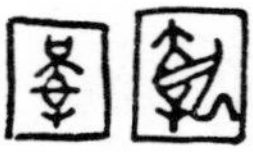

分析的字之外，以下的一些字，也同樣有**邊界**、**界限**的意思。特指**伊甸園**的**邊界—東門**。

關字有「關閉」、「界上所設之門」的意思。銅器上的「關」字 閈（註7.），描述了兩個成年 ⁚ 的人 ‖ ，可能指的是亞當及他的兒子塞特（塞特是亞伯被殺之後出生的），他們倆人站在封閉的關口 門 。「關」的另一個古字 〔古字〕（註8.），是指上帝 丅 與兩個 ⁚ 人 〔古字〕（與38頁的 〔古字〕 比較）在門 ⎡ 邊說話 ▽（口）。由於上帝與這兩個人連合在一起 〔古字〕 ，由此可見他們之間的關係，一定十分密切。 ψ 指舉手崇拜上帝。

丅 ＋ ⁚ ＋ 〔古字〕 ＋ ⎡ ＋ ▽ ＋ ψ → 〔古字〕

上帝 二 人 門 口（說話） 手（敬拜） 關

「畛」字是另一個有**邊界**意思的字。它的古字 〔古字〕（註9.），描述亞當這個人 〔古字〕 在**伊甸園** 田 的**外面**鞠躬。而且那裏有上帝的存在 彡 。「畛」字與「界」字的字體很相似，界的古字 〔古字〕（註10.），描述了兩個 八 人 〔古字〕 在**伊甸園** 田 **之外**。

中國字有這麼多形容**伊甸園邊界**的字，真是太令人驚訝了！它描述的方式

關 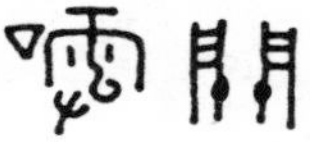

畛 

界 

𨻰 際

有：園子田，園子的外圍囗，園子的門門。最後，讓我們再來看一個有邊界意思的字 際（註11.），「際」這個字並不難分析：

夕（皿）	+	屮	+	示	→	祭	+ 阝	→ 際
器皿		手		上帝（神）		祭	山（阝）	際
（二個人）		（敬拜）						

由「際」字可看出獻祭 祭，並不是在伊甸園的聖山上，而是在邊界上。可見亞當和夏娃每天在伊甸園東門外，所舉行的崇拜方式，就是所謂的**郊祀**。**這郊祀原是上帝親自設立的。**在亞當和夏娃被逐出伊甸園之後，他們必須在伊甸園的邊界（門），獻一頭象徵性的動物，以祈求上帝的赦免。**這個在伊甸園緊閉的門前所舉行的郊祀，也就是象徵將來「女人的後裔」**（參68頁），**會爲全人類的罪如祭物般的獻給上帝。**

我們不要因此就誤認上帝是一個喜愛暴力、崇尚血腥的神。其實，上帝將來要為這些被判了死刑的人們，**犧牲祂自己的獨生子**。希伯來人的聖經很清楚的提到，上帝所喜愛的是：

「您不喜歡祭物；倘若您喜歡，我是多麼樂意獻上啊！然而您卻不在乎壇上的燔祭。您所要的是破碎的心靈，深深懺悔的心，上帝啊，您從不鄙棄悲傷痛悔的心。」（註12.）

中國的聖賢孔子，是一位敬畏上帝的人，他曾試圖以自己的影響力，來保留郊祀的儀式。然而，我們並不知道孔子是否完全了解每年在邊界上，舉行郊祀的真正含意。他並沒有留下記錄，可供查證。

我們不妨暫時把主題擱在一旁，先來認識一下至聖先師孔子。他可以說是中國歷代以來維護真理最力的人之一。（孔子時代的人，對於郊祀幾乎都已遺忘了……。）

從孔子的論語一書中，我們可以一窺孔子高貴的人格操守：

「子曰：吾十有五，而志於學；三十而立；四十而不惑；**五十而知天命**；六十而耳順；七十而從心所欲，不踰距。」（註13.）

（語譯：孔子說：「我十五歲時，便有志向學；到三十歲，能堅定志向有所成立；到四十歲，能通達一切事理而沒有疑惑；**到了五十歲**，**能知道天命**；到了六十歲，所聽到的都能明白貫通；到七十歲，我能忘情一切，沒有俗念，所以能隨心所欲，不會有違越法度的舉動。）

從以下的話，可充分看出孔子是一個謙虛為懷的人：

「子曰：若聖與仁，則吾豈敢？抑為之不厭，誨人不倦，則可謂云爾已矣！」（註14.）

（語譯：孔子說：「若說聖人與仁人，那我怎麼敢當？我不過是想不厭其煩地去學，不懈怠地教人，可說只是如此而已！」）

「子曰：三人行，必有我師焉。擇其善者而從之；其不善者而改之。」（註15.）

（語譯：孔子說：「三個人同行，這裏面一定有可以做我的老師的。選擇他們的長處加以學習；他們的短處也可作自我改正的參考。」）

「子曰：**天生德於予**，桓魋其如予何？」（註16.）

（語譯：孔子說：「**天既然賦予我道德的**使命，桓魋（大官）又能把我怎麼樣呢？」）

孔子本人對古代獻祭的傳統習俗，一定相當感興趣。在中庸一書中，就記載了孔子對祭祀的看法：

「郊社之禮，所以事上帝也，宗廟之禮，所以祀乎其先也，明乎郊社之禮，禘嘗之義，治國其如示諸掌乎。」（註17.）

（語譯：祭天地的禮節，是用來事奉上帝的；祭祖廟的禮節，是用來祭祀祖先的；能夠明白祭天地的禮節和禘祭秋祭的意義，那麼治理國家，就像是看看自己的手掌一樣容易了。）

由以上可知，孔子本人一定花了相當長的一段時間，來研究這個儀式的意義。至於孔子到底了解了多少？我們無從得知。但有一點是我們可以肯定的：

孔子一定非常重視這個儀式。

從中國第一個朝代夏朝到孔子的時代（約西元前五百年），已經歷了一千七百多年了。我們相信最初統治的君王，一定十分熟悉創世以來藉口傳留下來的宗教祭禮。而那些發明中國文字的先賢，想必也對世界所發產的事件有很正確的觀念；所以他們才發明了最早的象形文字。他們藉著文字的記載，將這些創世的知識記錄下來，留傳後世。但由於孔子所處的周朝，距夏朝已有一段不算短的時間了；以致這些創世的知識（對上帝的認知），隨著時代的流轉、年歲的消逝，而漸漸被人遺忘了。至於郊祀（對上帝的崇拜儀式），也成了毫無意義的形式；只能算是一種傳統的習俗而已。

袁

讀者或許還記得，創世之初亞當和夏娃所發生的事。他們由於不順從上帝的命令，而受誘惑做出不忠的行為；以致必須受到嚴厲的懲罰：死刑。但是上帝願意給他們贖罪的機會，上帝深愛這些他親手創造的人，所以非但沒有處死他們，反而為他們預備了一個救贖的計畫：應許將來必有一位**救**主降生（即**女人**的後**裔**），要來拯救他們。這位**救**主將「傷蛇的頭」（蛇就是上帝的仇敵——撒但魔鬼），但他自己也會被蛇「傷害脚跟」；你知道這是什麼意思嗎？

或許你還記得，當亞當、夏娃離開他們的住所伊甸園時，上帝因為非常愛他們，所以給他們皮衣穿。然而，這些蔽體的衣物袁（參73頁袁字），即是從一頭無罪的綿羊羊身上取來的。這隻羔羊羊就是預表將要降世的**救**主。而犧牲這隻動物的生命，則是預表**救**主將會代替人類而死。

我們也知道詭計多端的撒但，曾慫恿夏娃說：「你們不一定死」。到底是撒但說的話對呢？或是上帝說的話對呢？從第一個死亡的人（亞當的次子亞伯）直到如今，我們知道死亡必定會臨到每個人身上。上帝曾經告訴亞當，他會歸回塵土。我們從希伯來人的聖經中得知，創造的相反就是死亡：

義

「因為上帝的靈創造了我，全能者的氣息賦予我生命。」（註18.）

「如果上帝只為自己設想，把自己的靈和氣息收回，一切有生命的也就消失，人類也要歸回塵土。」（註19.）

請再與下列的經文作一比較：

「因為每個人都要死，他的氣息一斷，生命就結束；轉瞬間，他的一切思慮都要完結。」（註20.）

至於人死是否會復生呢？我們從上帝所應許的奇妙救贖計劃中，就可以得到答案。上帝說過，他將差遣他的**獨生子**，以作「**女人後裔**」的方式降生。這位獨生子將過著完全無罪的生活，並願意為每一位肯接受祂屬天公義（義 參74頁）所遮蓋的人捨命。總有一天，那些死去的義人都會活過來。在希**伯**來人的聖經上，就記載了這個事實：

「許多埋葬在塵土中的屍體要醒過來，其中有些得著永生，有些卻羞愧無顏，永被憎厭。那些智慧的人，就是上帝的子民，必如太陽的光芒照耀；那使多人歸向義的，必如星宿閃爍，直到永遠。」（註21.）

在孔子的時代，這個至高無上的獻祭儀式（上帝的獨子為人類而死），是

否舉行了呢？那位應許中的「**女人的後裔**」、「**萬人的救主**」，是否降生了呢？

有一位希伯來的先知，早在孔子之前的兩百年，就預見了未來（他用過去式的時態，來敘述將要發生的事）。請注意他如何闡述那位將要降生的**救主**：

「然而，有誰相信我們所傳的呢？上帝的大能又曾經向誰彰顯呢？在上帝面前，他好像一根嫩芽，又好像一棵生長在旱地上的植物；並沒有軒昂俊美的外貌可以吸引別人，叫人崇敬他。他被人藐視、厭棄，他多受痛苦，常經憂患。他受人藐視，人都掩面不看他，我們也不尊重他。

誠然，他親自承擔我們的憂患，背負我們的痛苦；我們卻以為是上帝擊打苦待他。誰知**他是爲了我們的過犯而被刺透，因着我們的罪孽而被壓傷**。因他所受的刑罰，我們得享平安；因他所受的鞭傷，我們得蒙醫治。我們都像迷路的羊，各人偏行己路；但上帝卻使我們衆人的罪孽，都歸在他的身上。

他被欺壓、受痛苦的時候，卻不開口。他因受欺壓和審判，被人除掉；與他同代的人，又有誰想到**他受鞭打，被奪去生命，是爲我的子民代罪呢**？但人還是想把他和惡人葬在一起。誰知道，他死後卻是與財主同葬。

「上帝卻定意要將他壓傷，使他受苦。**他獻上自己作爲贖罪祭**，他必得看見自己的後裔，他的日子必得增延，上帝的旨意也必定藉着他的手得以成就。他必得看見自己勞苦的成果，便心滿意足；我的僕人，就是那公義的一位，他要使那些認識他的人得稱為義，他要擔當許多人的罪孽。我要給他偉大者的尊榮，他可以跟强盛的瓜分戰利品，這全是因為他將生命傾倒出來，以致於死，又列於罪犯之中，**擔當了許多人的罪**，又為罪人代求。」（註22.）

在孔子的時代，上帝還沒有成就他的應許；上帝的目的，不是要在當時而是要在將來成就這個應許。至於這位**救主**將在什麼地方降生？全世界有那一個地方，夠資格讓**上帝的愛子**以人的形像來拜訪呢？

在中國的漢朝，漢哀帝在位時，有一對卑微的夫妻，男的叫約瑟，女的叫馬利亞；他們住在離中國很遙遠的地方。（若你查看地圖，會在地中海的東邊找到以色列國。這地方就是今日世界上最受人矚目的焦點，它原是希伯來人的古國。）當約瑟和馬利亞正住在猶大省的伯利恒城時，這個小城就發生了一件對**全人類**饒富重大意義的事：藉著童女馬利亞，上帝所應許的救主降生了。而這個嬰兒降生時，還發生了許許多多奇妙的事呢！

第十章　女人的後裔

揭開一連串奇妙事件序幕的，就是天使向一位可愛的女子——馬利亞顯現，報告了一個重大的消息給她。當時，馬利亞正興沖沖地期待她和約瑟的婚期到來，雖然他們兩人都是猶大王大衛的後裔，但由於猶大王已有好幾個世紀不再統治以色列了，在那時代（約二千年前），他們是由獨裁的羅馬帝國所統治），所以約瑟當時的身分，並不是王公貴族，而只是拿撒勒地方的一個卑微木匠而已。

得天使的造訪，實在是十二萬分的榮幸。天使是為了除去馬利亞的懼怕而來，他告訴馬利亞：

「馬利亞，不要害怕，因為上帝要特別的賜福妳。不久妳要懷孕生**子**，妳要替他起名叫**耶穌**。他將要成為偉大的，稱為**上帝的兒子**；上帝要把大衛的王位傳給他，他便永遠統治以色列；他的王國永無窮盡。」（註1.）

馬利亞疑惑的對天使說：「這怎麼可以呢？我還沒有結婚。」

天使回答說：「**聖靈**（三位一體的上帝其中之一）要臨到妳身上，上帝的能力要庇護妳，所以妳要生的那個兒子，是完全聖潔的，他要稱為『**上帝的兒子**』。」（註2.）（參52頁）

於是馬利亞順從的說：「我是主的使女，讓他的旨意在我身上成全吧！」（註3.）

後來，天使也造訪了約瑟，向他保證說：

「大衛的子孫約瑟，不要怕，把馬利亞娶過來，因為她所懷的孕，是由**聖靈**來的。你要給這個孩子起名叫**耶穌**，因為**他要把他的子民從罪惡中救出來**。」（註4.）

約瑟聽了，就遵照天使的意思，娶了馬利亞為妻。過了幾個月之後，羅馬帝國突然頒佈了一道命令，規定人民必須回到自己的祖籍地去報戶口。於是約瑟就帶著他的新婚妻子馬利亞，回到他祖先大衛王的故鄉——伯利恆城去了。

到了伯利恆城，由於旅客太多，使得旅館竟連一間空房子都沒有。所以他們只好委屈求全地到馬槽去歇歇脚。就在這種困窘的環境下，馬利亞生下了期待已久的長子，即**女人的後裔**——耶穌。

自從亞當、夏娃被逐出伊甸園之後，人們早已聽過許多關於「**彌賽亞**」（**救世主**）要降臨的預言。但就在那時刻，到底有多少人期待他的降生呢？

在希伯來人的聖經裏，就記載了許多關於耶穌降生的預言，但却只有少部分的人關心這項預言的應驗。（但以理和孔子是同一時期的人，是一位被擄到巴比倫的先知，他曾經預言耶穌顯現的確實時間）。單純質樸的牧羊人，就是少數知道救主將會很快地降世的人之一。他們經常聚集在一起，共同談論**救主**及其降世的意義。有一天晚上，正當他們在鄉間看守羊群時，天使突然向他們顯現說：

「不要怕，我要向你們宣佈一個和全人類有關的空前**大喜訊**：今天在大衛王的城裏，有一位**救主**為你們降生，他就是主基督。你們要看見一個嬰孩包著布，臥在馬槽裏，這就是記號了。」（註5.）

話一說完，突然有一大隊天軍出現，和天使一同唱詩讚美上帝。於是天使就帶領牧羊人去聖嬰降生的地方——不是個壯觀的皇宮，而是簡陋的馬槽！

在那些來拜訪耶穌的客人當中，除了牧羊人之外，還包括了三個從東方來的天文學家。由於他們曾在東方遙望到一顆美麗的星星，而且知道這顆特別的星星，是顯示救主降生了；於是他們就跟著那顆星走，長途跋涉地來到耶路撒冷。他們向當地的希律王打聽，這位猶大王的嬰孩出生在那裏？希律王一聽，心中大感不安；就召來了祭司長及民間的律法教師，詢問他們有關救主降生的地方。其實，早在好幾百年前，希伯來人的聖經就記載了救主降生的預言：

「主又說：『伯利恒的以法他啊，妳在猶大衆城中實在微不足道，但統治者却要從妳那裏出來，在以色列為我作掌權的；其實，他在太初的時候就已經存在了。』他必起來，倚靠主的能力，奉主上帝的威名牧養羣羊，使他們安居樂業。那時候，他必定備受地上各國的尊崇。他就是我們的平安！」（註6.）

希律聽完了報告，內心嚇了一大跳，他深怕這孩子會危害到他的王位，於是決心殺死嬰孩（耶穌）。他告訴那些天文學家說：「你們去仔細尋訪那個小孩，找到了，就回來報信，好讓我也去拜他。」（註7.）

後來，那顆曾在東方出現過的星星又再一次出現，領這三個人到耶穌降生的地方。這三個東方訪客到達之後，就立刻俯伏在地上拜那小孩，接著又拿出了許多黃金、乳香、沒藥獻給他。由於這些天文學家曾在夢中得到上帝的指示，叫他們不要回去給希律王報信，所以他們就改道返回東方去了。他們走了之後，天使又再次在夢中向約瑟顯現，叫他立刻動身，帶全家逃到埃及去；因為希律王下令，要殺盡伯利恒城及附近所有兩歲以下的男嬰。於是約瑟就遵照天使的指示，及時逃往了埃及。至於在埃及的那段時間，他們全家的生活，就全靠東方的天文學家所送的禮物來維持。直到後來，希律王死了，他們才又回到拿撒勒去。

當耶穌十二歲的時候，他的父母帶他上耶路撒冷，去過一年一度的逾越節。當他們過完節期返鄉時，耶穌的父母突然發覺耶穌並不在返鄉的遊客當中。於是他們焦急地趕回耶路撒冷，費盡心力去各處尋找他。共找了三天，最後才在聖殿裏找到他。當時耶穌正和許多教師坐在一起，他邊聽邊發問，使圍在四周的聽衆，都對這孩子聰明的頭腦及機智的應對，感到十分驚訝；孩子的父母亦然。他母親焦慮地向他說：「『孩子，你為甚麼要這樣作弄我們呢？害得我們到處找你！』耶穌反問：『你們為什麼要找我呢？難道你們不知道我是應該在我父家裏的嗎？』」可是他們却聽不明白。（註8.）

從耶穌的答話之中，我們可以很清楚的知道，耶穌表明了他自己是與**天父**上帝同等的，而且他將聖殿視為上帝的家。至於耶穌有否向祭司詢問關於在聖殿中獻羔羊為祭的意義？這點我們就不得而知了。我們只知道，耶穌後來順從了他的父母，回到拿撒勒去了。

我們對於耶穌的童年及青少年時期，所知的並不多。我們只知道他住在拿撒勒，是在他父親開的木材店裏長大的。在聖經中有一段簡短的記載，扼要地描述了他在那段時期的情況：「孩子漸漸長大，强健起來，充滿智慧，又有上帝的恩在他身上。」（註9.）

由此可知，**聖靈**的大能從一開始就在他身上，以致他的生命全然聖潔，世人當中無人像他一樣。當耶穌三十歲時，他離了家，到耶路撒冷去。過了不久，便在約但河邊，接受當時出名的傳道人約翰的洗禮。耶穌在公衆面前受了洗之後，約翰就當衆宣布說：「看哪，**上帝的羔羊，就是除去世人罪孽的那一位**！」（註10.）約翰為何稱耶穌為「上帝的羔羊」呢？由以下，我們將會很快的了解。

耶穌受洗之後，便展開了他降世所當做的工作。但撒但却立刻以一連串難以抗拒的試探，來引誘他。這些試探較先前亞當、夏娃所受的，更令人不堪忍受。撒但魔鬼想盡各種方法，要征服以人的樣式出現的耶穌。但耶穌的反應，卻大大異於亞當、夏娃。雖然耶穌是人，但他却不像亞當、夏娃一樣，背棄那位永遠帮助人類的上帝。反而他靠著上帝的力量，勝過了撒但的每一個試探。我們從希伯來人的聖經上，可知上帝與撒但魔鬼之間，時常會有爭戰。

耶穌揀選了十二位不同年齡、職業的凡夫俗子，作為他的門徒。在這些人當中，有的是漁夫，有的是稅吏。他們都被耶穌公義的本性、率直的教導、優越的特質所感召。耶穌的心中充滿了憐憫，他每到一個地方，總有一大群慕名求醫的人，甚至連罹患絕症的病人，都不遠千里而來；靠著耶穌所行的神蹟得到了痊癒。耶穌常常對那些得到醫治的人說：「你的罪赦了，不要再犯了」。耶穌所到之處，病人都完全得到了醫治。

耶穌經常講論寓意深長的故事。這些故事都是由日常生活，及自然界中所取材的。他任勞任怨、為人服務，但是却遭受別人的敵視——祭司及猶太人的領導人物。他們說：「這個沒有知識的木匠，怎能赦免別人的罪呢？他那有資格教導別人？只有上帝有資格赦罪，這小子竟膽敢自誇擁有上帝的權力，真是太膽大妄為了。」所以祭司們百般使詐，想要陷害他。他們想從耶穌的言行中找碴兒，但耶穌與他們相處時，却時刻流露出智慧、見識，使他們一點也無法藉題發揮。除此之外，耶穌總是用親切直率的口吻糾正他們。如此一來，更令這些人惱羞成怒了。

耶穌曾經三次使死人復活，其中一次是他所親愛的朋友拉撒路。那時，拉撒路死了，而且已埋葬了四天，但耶穌却行神蹟，使他活了過來。祭司們歪曲事實，指控耶是藉魔鬼所行的巫術。雖然如此，一般老百姓卻更敬愛他，而且深信他就是他們期待已久的**救主——「女人的後裔」**。但是耶穌公開傳道的時間，却只有短短的三年半；因為他的十二個門徒之一猶大，出賣了他。

我們前面提過耶穌在十二歲時，曾和他的父母到耶路撒冷去慶祝逾越節。這個節日是為紀念幾世紀以前，希伯來人從為奴的地方被救贖出來；同時，也象徵他們將要從撒但及罪惡的權勢中，得到釋放。那時希伯來人在上帝的教導及摩西的帶領下，離開了埃及；為了紀念出埃及的日子，每一家在黃昏時，必須殺一隻羊羔，並照摩西所吩咐的話，將羊血塗在每一家的門框及門楣上。

因為上帝要擊殺埃及所有頭生的嬰孩，而這個記號，就可使滅命的天使越過他們的房子，不擊殺他們。羊血是象徵希伯來人頭生子免死的記號；此外，他們要吃用火烤過的羊肉，而且羊的骨頭一根也不可折斷，以此象徵耶穌死時的景況。直到耶穌的時代，這種儀式仍在舉行著。

從亞當在伊甸園東門的獻祭，到耶穌那時代的獻祭，在在使我們看出上帝藉著綿羊及牛犢，預表了耶穌在未來將要獻自己為祭的這件事。而中國人每年的郊祀儀式更是為此而舉行的。但可惜的是，人們後來都遺忘了儀式所含的真正意義了。

當耶穌被出賣的那一天，正巧是逾越節的前一天晚上（星期四晚上），耶穌和他親愛的十二個門徒聚集在一間頂樓上，他們圍桌而食：「他拿起餅來，祝謝了，就擘開，說，**這是我的身體，爲你們捨的**。」（註11.）於是分給門徒一人一塊餅吃。然後，又遞給他們一人一杯葡萄汁喝，並說：「**這是我立約的血，爲多人流出來，使罪得赦**。但我告訴你們，從今以後，我不再喝這葡萄汁，直到我在我父的國裏，同你們喝新的那日子。」（註12.）。可惜當時門徒之中，竟沒有一個明白這些舉動的含意，也沒有人聯想到逾越節的血，與以色列人在埃及塗在門框、門楣上的血有關。

後來，耶穌就和他的十一個門徒（有一個門徒已先行離去）離開了房子，到花園裏禱告。但他的門徒都睡著了，只有耶穌獨自一人向父上帝禱告。他求天父給他足夠的力量，去面對將爲全人類的罪而死的痛苦。就在這時候，突然有一群喧鬧的人群湧到花園，而那位先行離去的門徒，領先走到耶穌面前，親吻了耶穌。這舉動使那群人得到了暗號，而將耶穌逮捕。耶穌的門徒眼看大事不妙，就都一鬨而散，逃之夭夭了。

如果你想更清楚知道這件事情的來龍去脈，請你讀希伯來人的聖經以賽亞書53.章；因為它早在這件事發生前的五百年，就詳細的記載了這件事的預言。以下，我們將會看到這項預言到底是如何應驗的！

第十一章　揭開郊祀的奧秘

時間：星期五天還沒有亮的時候，耶穌雙手被綁，被人推往耶路撒冷耶空蕩黑暗的街道，朝大祭司的寓所走去。在大祭司的房裏，除了大祭司以外，更擠滿了律法教師和其他宗教領袖，他們正在召開一個非正式的會議，想找出一項能把耶穌處死的控訴。當時有許多人站起來作假見證，當然這些沒有憑據的控告並沒有被採納。直到後來，有兩個人站起來，指控說：「這個人曾說，我能折毀上帝的殿，三日內建造起來。」（註1.）於是大祭司立卽要求耶穌答辯，然而耶穌却一句話也不說。大祭司接著問：「我指著永生上帝，叫你起誓告訴我們，你是上帝的兒子基督不是？」耶穌回答說：「你說的是。然而我告訴你們，後來你們要看見人子，坐在那全能者的右邊駕著天上的雲降臨。」（註2.）大祭司一聽，就撕裂衣服說：「好一個大胆狂徒，竟褻瀆上帝的名，自稱是上帝，你們衆人是有目共睹的，你們覺得我們應該如何處置他？」衆人異口同聲地回答：「他犯了罪，該死！」。於是吐唾沫在他臉上，又用拳頭打他，有的用手掌打他，並將他帶上手銬，押解到羅馬巡撫那裏。（當時是羅馬帝國統治，所以這些群衆不能用私刑處置耶穌。）

到了巡撫本丟彼拉多那裏，巡撫問他：「你是猶太人的王嗎？」耶穌回答說：「你說的是。」但他在受祭司長和長老指控時，却一直保持沈默。這令巡撫感到十分困惑，他不知道該如何處置他；最後終於決定將他交由地方官希律處置。希律曾聽過許多耶穌所行的神蹟，他早就想親眼見識一下耶穌。所以他提出了許多問題問耶穌，但耶穌却始終不作答；於是希律和他的手下就輕視他、戲弄他、給他穿上華麗的衣服，又將他送回巡撫彼拉多那裏。

這時候，巡撫彼拉多眼看著這個燙手的山芋又扔了回來，他知道事情無法再拖延下去了，只好對那些祭司及猶太領袖說：「你們解這人到我這裏，說他是誘惑百姓的。看哪，我也曾將你們告訴他的事，在你們面前審問他，並沒有查出甚麼罪來，就是希律也是如此，所以把他送回來，可見他沒有作甚麼該死的事，故此我要責打他，把他釋放了。」（註3.）但是圍觀的群衆，却大聲喧嚷要處死他。當時他們正在過逾越節，在踰越節時有一個慣例，就是遵照人民的要求，釋放一個犯人。因此巡撫就問群衆：「你們要我釋放巴拿巴，或釋放耶穌？」祭司們在旁挑唆衆人，叫他們要求釋放巴拿巴、除掉耶穌。巡撫彼拉多見事機不妙，多說也無濟於事，又怕引起暴動；便拿了水在衆人面前洗手說：「流這義人的血，罪不在我，你們承當罷！」（註4.）於是，這位尊貴的上帝之子，就如此遭了不平的待遇。他的身體被羅馬士兵鞭打得皮破血流，頭上被套上了荊棘編的冠冕，士兵還猛用拳打那冠冕，使荊棘刺入頭皮內，血流不止。他們百般地羞辱他，並吐口水在他臉上，又命令他背負一具粗重的十字架，往各各他山上去。

各各他位於**耶路撒冷城門外**，這個地點非常重要，因為希伯來人的聖經說：「**耶穌也在城門外**受難，為要用自己的血使他的子民成為聖潔。」（註5.）後來，羅馬士兵强迫一位外地來的陌生人，由他代替耶穌背負十字架走完了餘程。

到達刑場之後，耶穌被釘在中央的那個十字架上，兩旁分別釘了兩個盜賊。耶穌被釘時，他的手脚分別被又長又粗的釘子貫穿過去。釘好之後，再將十

祀

字架豎立起來。這一豎立，由於身體的重量使得耶穌的手、脚裂開，造成極大的痛楚，但耶穌却忍受了這一切虐待，他沒有失聲痛哭，只低聲的說：「父啊，赦免他們，因為他們所作的，他們不曉得。」（註6.）

我們不妨在腦海中想像以下這幕情景：在一個小山坡上，天邊映出了三個十字架的輪廓，其中最高的一個十字架，掛著**上帝之子**。當我們想像**救主**伸開雙手被掛了起來，且被又粗又大的釘子釘上時，是否還記得（）的符號；我們有幾次看到它用來代表**上帝站在山上舉手祝福的象徵**呢？、、。試問：人間有什麼比耶穌在此時此刻，為**我們每一個人**犧牲的祝福更大呢？

這個時辰約在上午九時，也就是每天上午在聖殿以羔羊舉行獻祭的時候（請參閱「祀」78頁）。耶穌被釘，不但肉體遭受極大的痛楚，而且還有比肉體之苦更悲慘的事，就是背負全人類的罪孽，與上帝完全隔絕。因此他大聲吶喊著：「我的上帝！我的上帝！為甚麼離棄我？」（註7.）

由於耶穌獨自擔當了世人的罪，為罪而死，因此他失去了上帝的同在。然而若因為這項行動，而使全人類能從永遠的死亡中被救出來，能代每個世代的

 犧

人類而死的話，（從起初的亞當、夏娃時代，直到未來的世界末日），耶穌會甘心情願地捨去自己的性命的。時候到了，耶穌說了最後一句話：「成了」（註**8.**），就嚥下最後一口氣。

這時正好是午後三時，也就是每日第二次獻羔羊祭的時候（參「犧」字 犧，79頁），於是耶穌為**萬世獻祭的儀式到此就完成了**。從前所有關於無罪羔羊及牛犢的獻祭，都是預表這個時刻而舉行的。**也就是說孔子所敬畏的郊祀儀式，在此時此刻才算眞正完成了。這儀式甚至到二十世紀，仍在北平的天壇舉行。中國歷代皇帝每年在邊界所舉行的獻祭儀式，都是爲了象徵耶穌被獻祭而舉行的。**

當耶穌死時，中國正是光武帝統治的時代，中國人並不知道離他們幾千里遠，正有個**世界的光**為全**人類**捨了生命。耶穌曾說：「我是**世界的光**，跟從我的，就不在黑暗裏走，必要得著**生命的光**。」（註9.）後來他的門徒之一也說：「他是**眞光**，照亮**一切生在世上的人**。」（註10.）

耶穌斷了氣之後，有一位羅馬士兵為要確定耶穌是否已死去，就拿著槍扎他的肋旁，使血和水流了出來——即生命的水。而耶穌曾應許他的死，將使一切相信他是「上帝之子」的人，都得著**永生**。可見「永」字和生命水是息息相

關的。

永

壽

在很久以前發明中國字的人，就以來表示「永」。在銅器上的「永」字（註11.），彷彿是生命的河水涓涓而流。不僅如此，請注意在的中央有上帝宏偉的身體（）被（的藝術化寫法，描述「上帝的存在」）所圍繞。（參37頁）

另外還有一個字也是指**永生**，卽壽命的「壽」字。從銅器上的壽字（註12.），可看出上帝以（）（方）描述，且形成了聖山（參47頁）。並且可看到**三位一體的上帝**是以三雙擧高的手，和三個口描述。我們也可看到生命的河，從聖山上流下。

當耶穌在十字架受苦時，天父與聖靈也一同受苦；他們三位一體，都參與了這項給予全人類一件寶貴禮物的行動：

「上帝愛世人，甚至將他的**獨生子**賜給他們，叫一切信他的，不至滅亡，反得**永生**。」（註13.）

對耶穌的門徒而言，最黑暗的時刻終於來臨了！他們原本寄望這位未來的君主能推翻羅馬帝國的統治，但如今他却死了。可見門徒直到那時，仍不了解上帝真正的救贖計劃——是為**地上所有的人類**預備的，而不止猶太一地。

耶穌死後，有兩個暗地裏相信他的財主，去要求領回耶穌的身體（耶穌的身體，連一根骨頭都沒折斷）。若耶穌在日落之前未死，那羅馬的士兵就會把他從十字架解下，打斷他的腿，使他早點死。請注意，逾越節的羔羊，骨頭也沒有折斷過，可見**羔羊就是預表耶穌**。

這兩位有錢的追隨者，用一長條布，把耶穌的身體纏裹起來，埋在一個新墳墓裏。這塊墳地原是他們其中之一為了以後安葬預備的。墳洞是從磐石鑿出，門口用一塊大石頭封住。並應大祭司的要求，派了羅馬的士兵看守；以防止門徒將耶穌的身體偷走。（因這些祭司曾好幾次聽耶穌說：「第三天他將復活，你們折毀這殿，我三日內要再建立起來……耶穌這話，是以他的身體為殿。」（註14.）

安息日原是紀念上帝的七日創造而設的。然而這個安息日，宇宙的創造者卻**止**息在墳墓中。他完成了上帝所指派給他的任務，藉著他**公義**的禮物，使全人類有了新生命。請看**公義**這兩個字，**公義**就是**全人類**——所有亞當的後裔——所共同**公**有的**義**。

 止

「在亞當裏眾人都死了，照樣，在基督裏眾人也都要復活。」（註15.）

耶穌死後的第三天，卽七日的第一日清晨，地大震動。有一名天使從天降下，將墓口的大封石輥開。天使身上所發出耀目的榮光，令人看了兩眼昏花，只見羅馬的守衛像死人般地倒在地上；這時候復活的救主耶穌基督，果然從墳墓中走了出來。這景象果真應驗了他所說的話：「被折毀的聖殿，三日必重建」。

 旋

復活的基督，曾多次向他的門徒及眾人顯現，且在復活四十天之後，與他的門徒路經客西馬尼園（先前他就是在此園禱告時被捉拿的）往橄欖山去。「耶穌領他們到伯大尼的對面，就舉手給他們祝福，正祝福的時候，他就離開他們，被帶到天上去了。」（註16.）

因此我們對上帝的兒子耶穌的最後印象，就是他在橄欖山上舉手祝福，這個姿態和起初上帝在聖山上賜福的姿態一樣。（參「族」49頁。）

正當他的門徒抬頭望他時，耶穌被一群天使接上天去了。其中有一名天使宣告：「這離開你們被接升天的耶穌，你們見他怎樣往天上去，他還要怎樣來。」（註17.）雖然截至目前為止，這個應許尚未實現，但在事情發生的二千年

後的現在，我們必須嚴肅地思想一個問題：「它到底對我有什麼意義呢？」

第十二章　上帝的最後應許

我們在本書一開始曾提出一個問題：「我從哪裏來？」，除了這個問題以外，還有一些問題是經常引人深思的：「我為什麼要活在世上？」、「我能否過更有意義的生活？」、「人死會復生嗎？」、……換句話說，就是「我往哪裏去？」」。

當**上帝的兒子**耶穌基督還活在世上的時候，他曾安慰他的門徒：「你們心裏不要憂愁，你們信上帝，也當信我。在我父的家裏，有許多住處。若是沒有，我就早已告訴你們了。我去原是為你們預備地方去。我若去為你們預備了地方，**就必再來**接你們到我那裏去……**若不藉著我，沒有人能到父那裏去**。」（註 **1.**）

從聖經這本屬於上帝自己的書中，我們可以更清楚地知道耶穌的去處，及他今天所住的地方。

耶穌在天堂建立了一個既美麗又壯觀的新城——「新耶路撒冷」城。這座城的城牆非常高大，並有十二扇由珍珠做成的城門。城裏的街道是用純金鋪成的，好像透明玻璃一樣。城的形狀是四方形，它的高度與長度、寬度都相同，因為聖山就矗立在正中央。城牆是用碧玉造的，城是精金鋪成的，如同明亮的玻璃一樣。城牆有十二根基柱，每根基柱都用各式各樣光彩奪目的寶石裝飾，外觀有彩虹絢爛的效果。在城裏面，耶穌被稱為羔羊，因為他為全人類犧牲了自己的生命，而唯有名字記在羔羊生命冊上的人（即接受耶穌為救主的人），才可以進到城裏面。

上帝的寶座是位於城中央的聖山錫安山上。有一條明亮如水晶般的生命江河，從寶座上流下來；在河的兩邊有生命樹（註2.）。在此，先打個岔，讓我們先來回想一下人類在地上的家——伊甸園——園內不是也有生命樹嗎？園子中央那座壯觀的山上，不也有兩棵很特殊的樹（生命樹及分別善惡樹）；且有一條河分成四道由山上流下來嗎？我們從銅器上的「田」字 ⊞ ，可清楚地看出河的四道支流，是從園子的正中央流出來的。換句話說，**地球上伊甸園是上**

 田

帝天上城市的縮影。

我們從「田」的另一個古字（註3.），可看出（園子）中央，上帝高舉著雙手（）。

在第二、三章中提到，上帝是宇宙萬物的創造者。我們從中國人所寫的郊**祀**吟誦中（9、10、17、27頁）及古字上，可充分得到印證。

上帝創造了萬物，萬物都是藉他的命令而存留（參17頁），在希伯來人的聖經上，他們也認為耶穌是宇宙的創造者；他被稱為「道」，因為萬物是因為**他說**的話才存在的：

「太初有道，道與上帝同在，道**就是上帝**。這道太初與上帝同在。**萬物是藉著他造的**。凡被造的，沒有一樣不是藉著他造的。生命在他裏頭，這生命就是人的光。**他在世界**，**世界也是藉著他造的**，世界却不認識他，他到自己的地方來，自己的人倒不接待他。凡接待他的，就是信他名的人，他就賜他們權柄，作上帝的兒女。」（註4.）

請注意，上帝是藉著他兒子（道，耶穌）而創造了萬物。換句話說，**上帝的兒子**耶穌，是上帝創造工作的**代理人**，而**聖靈**也是創造工作的**代理人**。因此

，這整個世界，可說是由**三位一體**的上帝共同造成的。從中國的象形文字中，我們知道、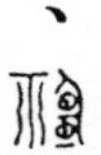、、（神）是代表耶穌。因這個字描述上帝親手造了亞當和夏娃。（參21～22，36頁）

耶穌曾宣稱：「**我與父原爲一**。」（註5.）

這個說法的確很不尋常，連耶穌的門徒都不能立刻領悟過來。他的門徒之一腓力曾問：

「求主將**父**顯給我們看……」，耶穌回答說：「人看見了我，就是看見了父……我在父裏面，父在我裏面，你不信麼？我對你們所說的話，不是憑著自己說的，乃是**住在我裏面的父作他自己的事**。」（註6.）

由這段經文可知，**天父**是藉著他的**兒子**「神」而創造宇宙萬物的。除此之外，我們還可以更明白的意義（參28頁）。在中好像**父**在創造第一個成年男人—亞當●。同樣在中，好像**天父**在創造第二乀個人—夏娃（參35頁）。由此可知，中國文字及希伯來人的聖經，都表達著同樣的觀念。

我們剛才提過，**聖靈**也是上帝創造工作的代理人之一。我們從「靈」的古字靈可充分得到印證。靈字描述上帝是**三位一體**口、口、口，卽**聖父、聖子、聖靈**。同時，也描述上帝創造人類第一對夫婦人人（人人）的工 作。（參54頁）

可見，雖然**聖父、聖子、聖靈**是三個位格，但他們的目的是**一致的**，他們的工作也是**相同的**。所以**中國人和希伯來人**，對**三位一體的觀念是一樣的**——**三位一體的上帝卽全能的創造者、世界的救主、宇宙的支柱、萬物的主宰**。

不知你曾否想過，**上帝的兒子耶穌**是以羔羊的身分，為全人類的罪被釘在**木**木頭做成的十字架上；難道只是巧合嗎？不，這絕不是巧合！雖然耶穌是在這個**木**木製的十字架上被釘死的，但卻因此使人類的罪得到赦免。人有了新生命，就像生命樹木會帶給我們生命及永恒一樣。所以在上帝天上的新城——新耶路撒冷上，並沒有伊甸園正中的那棵分別善惡樹，而只有生命樹。這意味了新的伊甸園中（卽聖城），絕不會再有試探、引誘；因為到那時候撒但（魔鬼、古蛇）早就被消滅，永遠消失了。

耶穌曾許下一個承諾，說他將會回到我們這裏來。到那時候，地球全都會被毀滅。我們看到今天的世人，背叛上帝、遠離公義、倣效撒但的惡行，因而

 區

使世界上到處有戰爭、殺人、流血、犯罪、不忠、不信等慘事發生。雖然撒但在世上已拓展了他的控制權，但主再來時，我們將會看到上帝將地上的一切罪惡除去；正如上帝在天上與撒但爭戰，戰勝撒但一樣。（參60頁）

當主耶穌再來時，也就是世界末日了。到那時，人類將如何逃離毀滅全世界的大浩劫呢？唯一的安全區，就是與上帝同在。從甲骨文的「區」字 （註7.），可看出 品 是指**三位一體的上帝，**「 」是指界限。也就是說，**在界限之內與三位一體的上帝同在，才是安全的。**假如不在界限之內，就沒有安全，必定逃不了那場大浩劫。

如今，萬物的結局快到了！

記得耶穌活著時，他的門徒問：「**你降臨以及世界的末了，有什麼預兆呢？**」耶穌告訴他們，要留意下列徵兆：

1. 假基督、假先知會迷惑許多人。
2. 有戰爭及打仗的風聲，國會攻打國。
3. 許多地方會經常發生地震、饑荒。
4. 惡事及罪行會增多。

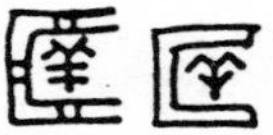

5. 義人會受到逼迫。
6. 瘟疫及飢荒會大肆盛行。
7. 人照常過日子。大部分的人，由於不信上帝，所以一點也沒有察覺大難臨頭。
8. 耶穌的救恩（福音的好消息）會傳遍天下，向萬民作見證。之後，才有世界末日到來。（註8.）

以上所記，事實上是每個人應該有所了解的，因為聖經上關於這類的警告，觸目皆是。然而，聖經也告訴我們，世上只有少數人真心相信主必**快來**。「第一要緊的，該知道在**末世**必有好譏誚的人，隨從自己的私慾出來譏誚說，主要降臨的應許在那裏呢？因為從列祖睡了以來，萬物與起初創造的時候仍是一樣……但現在的天地，還是憑著那命存留，直留到不敬虔之人受審判遭沉淪的日子，用火焚燒。」（註9.）

至於主再來時，那些忠心信靠上帝的人，會在毀滅中被救。在全世界被毀滅之前，被提升天。「匡」有「救」的意思。從甲骨文的「匡」字（註10.），可看出羊是指救主（耶穌）；在銅器上的匡字（註11.）也具有相

同的含意。被提的過程如下：

「因為主必親自從天降臨，有呼叫的聲音，和天使長的聲音；又有上帝的號吹響。那在基督裏死了的人必先復活。以後我們這活著還存留的人，必和他們一同被提到雲裏，在空中與主相遇。這樣，我們就要和主永遠同在。」（註12.）

以上這段經文，就是孔子避而不談死亡問題（參8頁）的最好答案。雖然孔子未解開這個大謎題，然而，**這對歷代在主裏死去的人，却是一個應許——復活的應許**。也許你會問：「我的祖父是一個誠實善良的人，可惜他沒有機會聽到福音；請問他能不能上天堂呢？」我想，這一點你大可放心。因為我們的上帝是公正的審判者，他深知人心的好壞；所以必定會秉公義來判決一切。

當主再來時，義人都會從死裏復活；但也有一些人會活著就被提。誠如聖經所說：「我們這活著還存留的人……必……一同被提到雲裏。」可見，主再來時，所有信靠上帝的人，都會被提到天國裏去。至於地球會發生什麼事呢？「但主的日子要像賊來到一樣，那日天必大有響聲廢去，有形質的都要被烈火銷化，地和其上的物都要燒盡了。」（註13.）

到那時，地球上一切的罪人惡事，都全會被毀滅掉。然而，上帝却應許將

甸

來必會出現一個新世界：

「我又看見一個新天新地。因為先前的天地已經過去了。海也不再有了。我又看見聖城新耶路撒冷由上帝那裏從天而降，預備好了，就如新婦妝飾整齊，等候丈夫。我聽見有大聲音從寶座出來說，看哪，上帝的帳幕在人間。他要與人同住，他們要作他的子民，上帝要親自與他們同在，作他們的上帝。上帝要擦去他們一切的眼淚。不再有死亡，也不再有悲哀、哭號、疼痛，因為以前的事都過去了。」（註14.）

由此可知，上帝應許要在地球上，為自己及人類預備住處。到那時，地球將成為整個宇宙的中心，上帝將會把他的王國及寶座都設在人間。我們從銅器上的甸字（註15.），可再次看到上帝這個尊貴的人體（），和聖城的縮影（伊甸園）。

在美麗的聖城——新耶路撒冷裏，上帝崇高的寶座，就位在錫安山的山頂上，而且：

「天使又指示我在城內街道當中一道生命水的河，明亮如水晶，從上帝和羔羊的寶座流出來。在河這邊和那邊有生命樹，結十二樣果子，每月都結果子

。樹上的葉子乃為醫治萬民。以後再沒有咒詛。在城裏有上帝和羔羊的寶座。他的僕人都要事奉他。**也要見他的面**。他的名字必寫在他們的額上。不再有黑夜，他們也不用燈光日光。因為主上帝要光照他們。他們要作王，直到永遠永遠。」（註16.）

「上帝愛世人」！從創世至今，地球上的人類一直都是上帝所關心的對象。如今上帝與撒但的敵對，就快要結束了；其實，這場戰爭的勝負早就決定了。但關鍵在於**我們**必須選擇正確的一方——卽勝方。

今天上帝邀請每一個人：

「口渴的人也當來。願意的都可以白白取生命的水喝。」（註17.）

伊甸園的東「門」，已不再有障碍堵住「閑」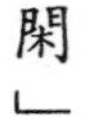。凡敬愛上帝、服從他命令的人，都可以自由地進入地球上這個新伊甸園裏；絕不再有人會被隔絕在生命樹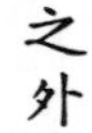之外了。每個人都能吃生命樹上的果子而得享永生。最令人興奮的是，人可以每天面對面與上帝說話，就像最初亞當和夏娃一樣。

「那些洗淨自己衣服的有福了，可得權柄能到生命樹那裏，也能從門進城。」（註18.）

見 閑

帝 

禘 

且讓古代的中國文字告訴你「**眞理**」吧！這些文字已保留了四千年以上，目的是為了使我們這一代以及世世代代的人，都知道上帝是永活的神。

上帝（天國的君王）——地球的創造者——深愛每一個人，也關心**每個人**。「因為我深信無論是死、是生、是天使、是掌權的、是有能的、是現在的事、是將來的事、是高處的、是低處的、是別的受造之物，都不能叫我們與上帝的愛隔絕。這愛是在我們的主基督耶穌裏的。」（註19.）

我們不妨再回過頭看「帝」字，從甲骨文的「帝」字 ，（參42頁），我們可以清楚地知道，耶穌被釘在十字架上，是為了讓每一個人都有機會吃天上生命樹  的果子，而得享永生。

甲骨文上另一個「帝」字 （註20.），或許是簡化的字。「禘」就是「郊祀」的意思。從「禘」的甲骨文 （註21.），可看到  指亞當、夏娃的手在敬拜上帝  。到這裏，我們終於把孔子未解開的謎完全解開了！

我們從這裏可更清楚地知道一個事實：直到如今，這位全知全能、愛護人類的上帝，仍在尋找地球上迷失的人，渴望他們都來歸向他：

「地極的人都當仰望我，就必得救。因為**我是上帝，再沒有別神**。我指著自己起誓，我口所出的話是憑公義，並不反回。」（註22.）

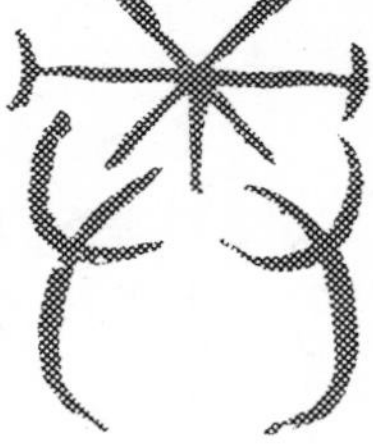

跋：古語新釋

當許慎在紀元前八十六年寫成「說文解字」一書時，他不僅竭盡所能地列出文字的字體，而且嘗試以當時的思想，去分析一些象形字及表意字的起源；但仍有一些文字沒有詳細地分析出來。雖然如此，「說文」一書却從那時候起，成為研究文字不可或缺的根據。不知讀者是否想過，從文字的發明直到許慎的時代，其間至少經歷了兩千年。那麼許慎對文字的解釋，是否和古代文字發明者，對文字的解釋一致呢？是否早在許慎之前，就曾用一套更有條理的思想體系來造字呢？

古代埃及人也有一套複雜的表意文字，他們稱為「Hieroglyphs」意思是「神聖的文字」。在那些文字之中，涵蓋了許多埃及的奇特宗教思想。因此有些人認為，古代中國人在造字時，也同樣涵蓋了他們神聖的宗教思想。（參第一、二章）本書也持同樣的看法。換句話說，古代中國人是否真正擁有一套思想體系，來發明中國文字；而不只是漫無目的地記述一些日常瑣事而已呢？（因為許慎的時代與早他兩千年前的生活方式，已有相當大的差距了。）這套思想體系，很可能是與初民敬拜上帝的知識，及上帝與人類始祖（亞當、夏娃）的關係有關。這套思想體系，也等於是記錄了全人類的歷史起源。以下我們將扼要地說明本書分析文字的方式。

第一，我們必須從表意文字中認出上帝及他的住處。描述「上帝」的字形有許多：

1.以線條描述上帝，**通常以舉手祝福表示**。例：（參70頁），（參48、78頁），（參19、34、35頁），（參37、45、49、73頁），或（參25、56頁），（27、35、36頁），（參47、109頁）

2.以偉大的體型描述上帝。（參22、36、74、109、121頁），（參28、31、34頁），（參62頁），（參58頁）。請注意人亦是按上帝的形像造成的。例（參41、47、49、54、58頁），（參32頁），（參

26、27頁）

3.象徵三位一體的上帝。[glyph]、[glyph]、三、彡、川（參42、48、49、52、54、62、83頁）都描述了三位一體的上帝（參42頁）。

4.運用「示」（代表神）：丅、亍（參40、42、48、54、61、78頁），[glyph]、[glyph]、示、[glyph]（參55、58、62、78、79頁）。

5.對上帝耶雙創造之手的認識。[glyph]、[glyph]（參20、21頁），[glyph]（參22、33頁）。

6.上帝住處——卽聖山的認識。例如：[glyph]（[glyph]參37、47、53頁），[glyph]（[glyph]參48、78頁），[glyph]（[glyph]參48、66頁），[glyph]（[glyph]參48頁），[glyph]、[glyph]、[glyph]（參49、52、86頁）等。

第二，我們必須對第一對夫婦有所認識。他們通常以連合（結婚）的方式出現。當他們完美無罪時，是以火焰[glyph]為裝飾，這象徵他們擁有上帝似火的榮光。從以下的描述，可看出這一對合而為一的夫妻：

例如：人（口）[glyph]，[glyph]、[glyph]（參36頁），[glyph]、[glyph]、[glyph]（參38頁），[glyph]（參77、78頁），第二個人是從第一個人側身而出的：[glyph]（參45

、66、73、77頁），（參32頁），（參34頁），鞠躬的人體：（+參36、48頁），（+參58頁），（+參47頁），兩手合起來敬拜：（參77、78頁）。

第三，我們從文字中，可看出象徵第一對夫妻所住的伊甸園。

園子、田、（參44、63、76、77頁）。聖山（如上所述）。泉源（參45頁）。人與上帝相見（參84頁）的神聖地點（參48頁），（參118頁）。一條河川（參48、55、78、109頁）。兩棵特別的樹林（參60～66、70頁）。園子的門、門、（參76、78、85頁）。

從以上可知，雖有同一個主題，卻有許多不同的寫法；其目的是為了使文字表達的意思，更貼切、更符合事實。

以下，我們將以說文解字與本書對分析文字的方式，作一比較。我們會發現，說文解字雖然解釋了文字的意義，卻沒有深入地探討文字的本來意義；而本書則是探討文字最原始的意義。我們深信上帝既然創造了宇宙萬象，他必然在造字時啟示了人們，使創世的事蹟得以藉著文字保存下來。

以下我們要探討伊甸園中那兩棵特別的樹。我們將就本書及說文解字對文字分析上的差異，一一舉例說明，使讀者有機會好好思想：古代中國人，是否有一套特別記載關於神聖史實的方法。

「說文解字」——神：「天神引出萬物者也，從示申聲」（註1.）

許慎認為神是宇宙萬物的創造者，這觀點與本書的觀點一致。

神的古字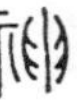，「說文」解釋左邊的部首為「天垂象，見吉凶，從二，三垂日月星也。」（註2.）（語譯：「示」指天上的星象，觀星象，可看出吉祥或凶兆，從二（上），二的古文是，川 是指日月星。）本書亦認為「示」是用來代表整個「神」字（參20、55頁）。

「說文解字」對神字的右邊部分並沒有詳加分析，只將「神」的解釋為「天神引出萬物者也。」但本書對的解釋為：上帝的雙手造出第一個成年男人——亞當（參21頁）。本書著重分析文字所涵蓋的本意，而「說文解字」則否。

凡是熟悉中國文字的人都會立即發現，本書將許多形聲字分析為象形字。許慎發明這種形聲字的分類法，大概是他發現文字中，有一個部首與此字的發音一樣。例如：「神」字中的「申」部，與整個字的發音類似，所以許慎認為申在整個字中只擔任聲音的部分，並不具有意義。

以下八個字，都有大家所熟悉的部首：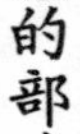（木代表樹）；而且也敘述了罪進入世界的戲劇性故事。這些字就是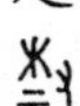「戒」，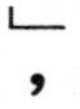「杜」，「梠」，「休」，「婪」，，「楚」，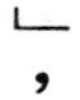「閑」，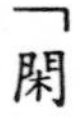、「困」。

因為許慎所參考的「戒」字不是甲骨文，所以他的解釋「從廾戈，持戈以戒不虞」（註3.）。他認為是兩手（廾）持戈，警告人勿靠近的意思。本書則以甲骨文的「戒」字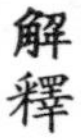解釋：上帝告戒亞當，不可用手拿禁樹上的果子。（參60頁）

關於「杜」：許慎認為「甘棠也，從木土聲」（註4.）。「杜」指一個甜蜜的果子，是由木字土聲組成。本書認為：上帝下禁令，不准亞當（泥土所造的人）吃禁樹上的果子（參61頁）。

亞當、夏娃（參47頁）每天「旅」行（梠）到生命樹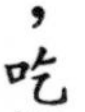，吃樹上供給他們永生的果子。「梠」字許慎只說：「楣也，從木呂聲」（註5.）。指屋子的門楣，由木字及呂聲組成。雖然從另一位學者的註釋中，曾提到「梠

」有「旅」的意思，但卻沒有分析其中的涵義。

「休」字是描述夏娃獨自一個人，在禁樹下休息（參63頁）。許慎只說「休息止也，從人依木」。卽人停下來靠著樹木休息。而另外一位學者說：「人不可在喬木旁休息」（註6.），他指的喬木並非果樹，而是做傢俱用的。

關於「婪」字，許慎說：「貪也，從女林聲」（註7.），婪卽貪心的意思，是女字及林聲組成。我們認為（女指夏娃）她是人類貪心的始作俑者。她貪「婪」禁樹（木）上的果子，禁樹位於生命樹旁邊（參64頁）。

關於楚字（參69頁），許慎認為：「叢木，一名荊也，以林疋聲」（註8.）。卽許多樹聚在一起的意思，楚的別名也叫荊，是林字及疋聲組成。從古字，我們很清楚地看出一個人 ○（口），停止（止）下來，吃東西（以口 ○ 描述）。楚的另一個古字，是指夏娃拿禁樹（木）的果子。這個背叛的擧動，使人類從此遭受苦楚。

因此，上帝把亞當、夏娃趕出伊甸園，而在伊甸園的東門設立一道欄栅（

「閑」字 有欄柵、阻碍的意思），因此而使亞當、夏娃不能再進入伊甸園的門 ，吃生命樹 （木）上的果子得享永生（參76頁）。許愼說：「闌也，从門中有木」（註9.），卽欄柵，用以門門之用。但他並沒有解釋「閑」為什麼是由門及木組成的。

許愼解釋「困」字 （參70頁）——「故廬也，从木在□中」（註10.）。卽古代的茅屋。這意思與第一對夫妻面臨困難的原因相差甚遠。本書認為第一對夫妻遇到「困」難的原因，是因為他們吃了伊甸園□中，那棵分別善惡樹 （木）的果子。「困」字的另一個甲骨文的寫法 ，指出困難產生的原因，是夏娃在禁樹 （木的簡寫）下停止 （止）。

以上這一連串文字，證明了利用不同文字，就很容易地表達出一個故事。吃禁樹 之果的罪行，唯有藉犧牲 （羊）及 （牛）的祭祀，才能得到解決。這獻祭代表了**上帝的獨生子**，要為全人類而死。我們從四個有「羊」部的字： 「犧」， 「義」， 「美」， 「匡」，就可以看出上帝的救贖計劃。

許愼認為「犧」：「宗廟之牲也，從牛羲聲」（註11.）。卽祭祀所獻的牲畜（牛、羊），犧字由牛字義聲組成。本書贊同許慎對「犧」字的解釋——「犧」指牲畜。但我們認為這個祭典是在伊甸園舉行的，象徵著上帝的獨生子要被獻祭的預言。希伯來人向上帝獻祭時，也用牛、羊當作祭物。這與中國的郊祀（向上帝獻祭）是一樣的（參79頁）。

許慎認為「義」：「己之威義也，從我從羊。」（註12.）即一個人的威儀，義字由「我」、「羊」兩部分組成。本書則進一步分析「義」字的本來意義：「我」是因上帝的羔「羊」代我死，而得以稱「義」。（參74頁）

許慎認為「美」：「甘也，從羊大，羊在六畜主給膳。」（註13.）即甘甜，引申為凡是好的事物皆謂之美。美字由羊、大組成；羊在六畜之中是最美善的。本書亦認為羊是動物之中最善的，因為牠象徵了上帝的獨生子（羔羊），由於他的獻祭，使我們在上帝的眼中是完「美」的。因此本書認為美字 ，指一隻羊  遮蓋了尊貴的人亞當 ；當上帝看到罪人被羔羊遮蓋後，他就像看到自己無罪的獨生子一樣（參75頁）。

最後，我們來看「匡」字 ，這個字的意思是拯救。（羊）在 （匡）之中，意謂只有上帝的羔羊，才能把人類從罪惡中救出來（參119頁）。

許慎也許沒有看到古字，所以認為「匡」：「飯器也，筥也，從匸生聲」（註14.），卽盛飯用的器皿。由匸字生聲組成。

以上，只是簡要地比較本書及「說文解字」，對文字不同的解析方式。讀者會發現，許慎並不像我們著重於探究文字的本意。看了這些，讀者有否覺得我們何其有幸，得以知道聖經與中國文字是息息相關呢！

換句話說，讀者對於古代中國人在發明表意文字時，是否有一套思想體系？想必已得到了答案。我們相信，古代的中國人對他們所處的世界、及上帝與早期人類的親密關係，一定有所體認。以致使四千年後的我們，得以藉著這些保存下來的文字，一窺人類早期的史實；這豈不是件很奇妙的事！

註釋

第一章　謎

1. James Legge, The Chinese Classics (Vol. I)，中庸第十九章6節（台北南天書局有限公司出版，七十二年）。
2. 瀧川龜太郎著，史記會注考證，封禪書第六之七，四九七頁（台北漢京文化事業有限公司出版，七十二年）。
3. 同1.。
4. James Legge, The Chinese Classics (Vol. III)，尚書虞書舜典6節（台北南天書局有限公司出版，七十二年）。
5. 李東陽等奉敕撰，大明會典，一二八七～一二八八頁（東南書報社印行）。
6. 同上，一二九五頁。
7. 同上，一二九六頁。

註釋

第二章　上帝是誰？

1. 新譯論語讀本，先進第十一～十一（僑務委員會印行，七十一年）。
2. 李東陽等奉敕撰，大明會典，一二九四頁（東南書報社印行）。
3. 同上，一二九五頁。
4. 同上，一二九五頁。
5. 同上，一二九五頁。
6. James Legge, The Chinese Classics (Vol. I)，中庸第十九章6節（台北南天書局有限公司出版，七十二年）。
7. 瀧川龜太郎著，史記會注考證，封禪書第六之一，四九六頁（台北漢京文化事業有限公司出版，七十二年）。
8. 創世記第一章，今日聖經（台北意譯本聖經會出版，六十九年）。

第三章　古代中國人對地球由來的觀念

1. 李東陽等奉敕撰，大明會典，一二九五頁（東南書報社印行）。

2.詩篇第三十三篇6.、9.節，聖經（聖經公會印發）。

3.創世記第一章，今日聖經（台北意譯本聖經會出版，六十九年）。

4.創世記第一章24.節，聖經（聖經公會印發）。

5.洪北江著，攈古錄金文，第二冊，一一六九頁（台北樂天出版社，六十三年）。

6.同上，一三四一頁。

7.同上，一二五一頁。

8.清、閔寓五編，林直清重訂，訂正六書通，上平聲第二，一二頁（上海廣益書局，二十五年）。

9.同5.，第一冊，三五一頁。

10.同上，第二冊，九四九頁。

11.同上，第二冊，一〇三四頁。

12.同上，第二冊，一一九八頁。

13.創世記第二章7.節，今日聖經。

14.周法高等編，金文詁林，五一九八頁（香港中文大學出版，六十四年）。

15.同5.，第一冊，七三一頁。

16.馬薇廎著，薇廎甲骨文原，五一一頁，六十年。
17.同5.，第二册，一二四一頁。
18.同上，第二册，一二七〇頁。
19.創世記第一章26.節，今日聖經。
20.詩篇第八十四篇11.節，聖經。
21.希伯來書第十二章29.節，聖經。
22.同5.，第二册，一三四一頁。
23.詩篇第一〇四篇2.節，今日聖經。
24.瀧川龜太郎著，史記會注考證，封禪書第六之七，四九七頁（台北漢京文化事業有限公司出版，七十二年）。
25.時超編著，墨子，天志中，二九一頁（台北文致出版社，六十五年）。
26.同5.，第二册，一〇一〇頁。
27.同8.，下平聲上第三，1頁。
28.創世記第二章25.節，今日聖經。
29.同5.，第二册，一一六二頁。

30. 詩篇第八篇5.節，今日聖經。
31. 同14，五五二六頁。
32. 同5.，第一冊，四九頁。
33. 同1.。
34. 同5.，第一冊，五〇頁。
35. 同上，第二冊，一一五八頁。
36. 同1.。
37. 以賽亞書第六十四章8.節，今日聖經。
38. 創世記第二章19.～20.節，今日聖經。
39. 創世記第二章18.節，今日聖經。
40. 同14.，六七七六頁。

第四章　肋骨的故事

1. 洪北江著，攈古錄金文，第二冊，一三〇五頁（台北樂天出版社，六十三年）。
2. 同上，第二冊，一〇一四頁。

3. 創世記第二章18.，21.～22.節，今日聖經（台北意譯本聖經會出版，六十九年）。
4. 馬薇廎著，薇廎甲骨文原，三九頁，六十年。
5. 清、閔寓五編，林直清重訂，訂正六書通，去聲下第八，三十三頁（參脰）（上海廣益書局，二十五年）。
6. 創世記第二章23.節，今日聖經。
7. 同1.，第二冊，一三〇二頁。
8. 創世記第一章26.節，今日聖經。
9. 同4.，五一九頁。
10. 同4.，五二九頁。
11. 同1.，第一冊，一〇一二頁。
12. 創世記第一章28.節，今日聖經。
13. 同1.，第二冊，一一一五頁。
14. 同上，第二冊，七五七頁。
15. 同上，第一冊，一八三頁。
16. 同上，第一冊，一八三頁。

17. 同1.，第二册，一二五一頁。
18. 同4.，六七五頁。
19. 同1.，第二册，八〇三頁。
20. 同上，第二册，一一七六頁。
21. 同5.，上平聲第二，十二頁。
22. 同上。
23. 周法高等編，金文詁林，八三四五頁（香港中文大學出版，六十四年）。
24. 同1.，第二册，九四〇頁。
25. 同上，第二册，八〇九頁。
26. 同23.，四七七五頁。
27. 同4.，一一八四頁。
28. 創世記第二章24.節，今日聖經。
29. 同5.，上平聲第一，九頁。
30. 同1.，第二册，一一七三頁。
31. 創世記第二章1.～3.節，今日聖經。

32.同4.，一三四〇頁。

33.同5.，去聲下第八，二一頁。

34.李孝定編述，甲骨文字集釋，四四七頁（中央研究院歷史語言研究所出版，五十四年）。

35.同上。

36.同4.，一〇二五頁。

第五章　失樂園的奧秘

1.周法高等編，金文詁林，一二頁（香港中文大學出版，六十四年。

2.同上，一三頁。

3.馬薇廎著，薇廎甲骨文原，九五頁，六十年）。

4.同上，九六頁。

5.創世記第三章20.節，今日聖經（台北意譯本聖經會出版，六十九年）。

6.同3.，七八三頁。

7.同上，一八三頁。

8. 同上，一二一頁。
9. 同上，一八三頁。
10. 同上，一八〇頁。
11. 洪北江著，金文編金文續編，四〇五頁（洪氏出版社，六十三年）。
12. 同上，六七〇頁。
13. 創世記第二章8.～10.節，今日聖經。
14. 創世記第二章16.節，今日聖經。
15. 洪北江著，攈古錄金文，第二冊，一二三三頁（台北樂天出版社，六十三年）。
16. 同3.，五八九頁。
17. 同上，一〇七頁。
18. 清、閔寓五編，林直清重訂，訂正六書通，下平聲上第三，二頁（上海廣益書局，二十五年）。
19. 同3.，五七頁。
20. 同18.，下平聲第三，十一頁。
21. 詩篇第三十六篇6.～9.節，今日聖經。

22. 創世記第二章9.節，今日聖經。
23. 同15.，第二册，一三〇二頁。
24. 同上，第二册，一三一五頁。
25. 同1.，四二三五頁。
26. 同11.，三七頁。
27. 同3.，八九八頁。
28. 同11.，三五〇頁。
29. 同3.，六七五頁。
30. 同1.，五三二二頁。
31. 同15.，一〇三四頁。
32. 同3.，一一七頁。
33. 同上，一一六頁。
34. 同15.，第二册，八五三頁。
35. 同3.，一一六頁。
36. 詩篇第二十四篇3.～5.節，聖經（聖經公會印發）。

第六章　更進一步了解上帝

1.馬薇廎著，薇廎甲骨文原，八一頁，六十年。
2.同上。
3.周法高等編，金文詁林，五六九九頁（香港中文大學出版，六十四年）。
4.同上。
5.同1.，七〇頁。
6.同上。
7.同上。
8.同1.，四二頁。
9.洪北江著，攈古錄金文，第二冊，八七八頁（台北樂天出版社，六十三年）。
10.同上，八五三頁。
11.同上，一〇四四頁。
12.創世記第一章1.~2.節，今日聖經（台北意譯本聖經會出版，六十九年）。
13.約伯記第三十三章4.節，今日聖經。

14.約伯記第三十四章14.～15.節，今日聖經。
15.創世記第二章7節，今日聖經。
16.清、閔寓五編，林直清重訂，訂正六書通，下平聲第四，二四頁。
17.洪北江著，金文編金文續編，二八〇頁（洪氏出版社，六十三年）。
18.同1.，三頁。
19.同上，一三〇八頁。
20.同17.，五四頁。
21.同1.，九五頁。
22.同上，一〇一九頁。
23.同上。
24.同16.，上平聲第二，一二頁。
25.同9.，第二册，八四一頁。
26.同3.，四五四七頁。
27.同16.，下平聲第三，三一頁。

第七章　咬了致命的一口

1. 新譯論語讀本，堯曰第二十～三（僑務委員會印行，七十一年）。
2. 周法高等編，金文詁林，八六頁（香港中文大學出版，六十四年）。
3. 馬薇廎著，薇廎甲骨文原，四四四頁，六十年。
4. 同上，一三九〇頁。
5. 以西結書第二十八章12.～17.節，今日聖經（台北意譯本聖經會出版，六十九年）。
6. 以賽亞書第十四章12.～14.節，聖經（聖經公會印發）。
7. 啓示錄第十二章7.～9.節，今日聖經。
8. 同3.，一〇三八頁。
9. 創世記第二章16.～18.節，今日聖經。
10. 洪北江著，攈古錄金文，第二册，一〇八二頁（台北樂天出版社，六十三年）。
11. 清、閔寓五編，林直清重訂，訂正六書通，去聲下第八，三四頁（上海廣益書局，二十五年）。

12.同10.，八三四頁。
13.同上，九五九頁。
14.同上，八九〇頁。
15.同3.，五〇一頁。
16.同上，四八五頁。
17.創世記第三章1.節，今日聖經。
18.創世記第三章3.節，今日聖經。
19.創世記第三章4.～5.節，今日聖經。
20.同3.，五四四頁。
21.同上，五二九頁。
22.創世記第三章6.節，今日聖經。
23.洪北江著，金文編金文續編，六五九頁（洪氏出版社，六十三年）。
24.同11.，上聲上第五，二頁。
25.同22.。
26.創世記第三章7.節，今日聖經。

27. 同上。
28. 同3.，一〇五五頁。
29. 同11.，上平聲上第一，二四頁。
30. 同上，上聲下第六，一四頁。
31. 同10.，第二册，九一六頁。
32. 創世記第三章11.節，今日聖經。
33. 創世記第三章12.～13.節，今日聖經。
34. 同10.，第二册，九六七頁。
35. 創世記第三章15.節，今日聖經。
36. 創世記第三章16.節，今日聖經。
37. 同3.，一三〇頁。
38. 同10.，第二册，九〇六項。
39. 創世記第三章17.～19.節，今日聖經。
40. 同3.，一二三二頁。
41. 同上，一二三二頁。

42. 同3.，七九四頁。
43. 同上，一二三九頁。
44. 創世記第三章19.節，今日聖經。

第八章　上帝寶貴的救贖計劃

1. 創世記第三章21.節，聖經（聖經公會印發）。
2. 馬薇廎著，薇廎甲骨文原，一〇六三頁，六十年。
3. 同上，一〇六一頁。
4. 同上，一〇六〇頁。
5. 同上，一一〇六頁。
6. 約翰福音第一章29.節，今日聖經（台北意譯本聖經會出版，六十九年）。
7. 周法高等編，金文詁林，七〇四七頁（香港中文大學出版，六十四年）。
8. 同2.，四五四頁。
9. 同上，四五五頁。
10. 創世記第三章22.～24.節，今日聖經。

11. 抉擇雜誌，一九八五年十二月，一五頁（台北抉擇雜誌社出版）。
12. 同2.，一二三〇頁。
13. 同7.，六五六六頁。
14. 清、閔寓五編，林直清重訂，訂正六書通，上平聲第二，23.頁（上海廣益書局，二十五年）。
15. 同2.，八八九頁。
16. 同14.，去聲下第八，一一頁。
17. 同上，上平聲第二，三四頁。
18. 同2.，四六九頁。
19. 洪北江著，攈古錄金文，第二冊，一一〇二頁（台北樂天出版社，六十三年）。
20. 同上，八七一頁。
21. 同上，一二三一頁。
22. 同7.，二四〇六頁。
23. 同2.，一〇二三頁。
24. 同上，一〇二三頁。

25. 同14.，上聲上第五，一〇頁。
26. 同2.，一〇二八頁。
27. 同上，一〇二七、一〇二九頁。
28. 同14.，上平聲上第一，二三頁。
29. 利未記第九章2.節，今日聖經。
30. 出埃及記第二十九章39.節，今日聖經。
31. 創世記第四章2.～5.節，今日聖經。
32. 同2.，五〇四頁。
33. 同上，三九三頁。
34. 創世記第四章15.節，今日聖經。
35. 創世記第四章16.節，今日聖經。

第九章　解答孔子未解開的謎

1. 創世記第三章24.節，今日聖經（台北意譯本聖經會出版，六十九年）。
2. 馬薇廎著，薇廎甲骨文原，七〇七頁。

3. 同2.，六九二頁。
4. 撒迦利亞書第二章8.節，今日聖經。
5. 李孝定編述，甲骨文字集釋，三二三五頁（中央研究院歷史語言研究所出版，五十四年）。
6. 同上。
7. 周法高等編，金文詁林，一二頁（香港中文大學出版，六十四年）。
8. 清、閔寓五編，林直清重訂，訂正六書通，上平聲第二，三〇頁（上海廣益書局，二十五年）。
9. 同上，上聲上第五，三一頁。
10. 同上，去聲上第七，三一頁。
11. 同上，去聲上第七，一五頁。
12. 詩篇第五十六篇16.～17.節，今日聖經。
13. 新譯論語讀本，為政第二（二—四）（僑務委員會印行，七十一年）。
14. 同上，述而第七（七—三三）。
15. 同上，述而第七（七—二一）。

16. 同上，述而第七（七—二二）。

17. James Legge, The Chinese Classics (Vol. I)，中庸第十九章6.節（台北南天書局有限公司出版，七十二年）。

18. 約伯記第三十三章4.節，今日聖經。

19. 約伯記第三十四章14.～15.節，今日聖經。

20. 詩篇第一四六篇4.節，今日聖經。

21. 但以理書第十二章2.～3.節，今日聖經。

22. 以賽亞書第五十三章，今日聖經。

第十章　女人的後裔

1. 路加福音第一章30.～33.節，今日聖經。
2. 路加福音第一章34.～35.節，今日聖經。
3. 路加福音第一章38.節，今日聖經。
4. 馬太福音第一頁20.～21.節；今日聖經。
5. 路加福音第二章10.～12.節，今日聖經。

6. 彌迦書第五章，2.、4.、5.節，今日聖經。
7. 馬太福音第二章8.節，今日聖經。
8. 路加福音第二章46.～50.節，今日聖經。
9. 路加福音第二章40.節，聖經。
10. 約翰福音第一章29.節，今日聖經。
11. 哥林多前書第十一章23.、24.節，聖經。
12. 馬太福音第二十六章28.～29.節，聖經。

第十一章　揭開郊祀的奧秘

1. 馬太福音第二十六章61.節，聖經。
2. 馬太福音第二十六章63.、64.節，聖經。
3. 路加福音第二十三章，14.～16.節，聖經。
4. 馬太福音第二十七章24.節，聖經。
5. 希伯來書第十三章12.節，今日聖經。
6. 路加福音第二十三章34.節，聖經。

7. 馬可福音第十五章34.節，今日聖經。
8. 約翰福音第十九章30.節.，今日聖經。
9. 約翰福音第八章12.節，聖經。
10. 約翰福音第一章9.節，聖經。
11. 洪北江著，攈古錄金文，第二冊，一二八一頁（台北樂天出版社，六十三年）。
12. 同上，八五三頁。
13. 約翰福音第三章16.節，聖經。
14. 約翰福音第二章19.節，聖經。
15. 哥林多前書第十五章22.節，聖經。
16. 路加福音第二十四章50.～51.節，聖經。
17. 使徒行傳第一章11.節，聖經。

第十二章　上帝的最後應許

1. 約翰福音第十四章1.～3.、6.節，聖經。
2. 啓示錄第二十二章，聖經。

3. 清、閔寓五編，林直清重訂，訂正六書通，下平聲上第三，二頁（上海廣益書局，二十五年）。

4. 約翰福音第一章1.～4.、10.～12.節，聖經。

5. 約翰福音第十章30.節，聖經。

6. 約翰福音第十四章8.～10.節，聖經。

7. 馬薇廎著，薇廎甲骨文原，七五五頁，六十年。

8. 馬太福音第二十四章，聖經。

9. 彼得後書第三章，3.、4.、7.節，聖經。

10. 同7.，一二八三頁。

11. 洪北江著，攈古錄金文，第二冊，一〇三二頁。

12. 帖撒羅尼迦前書第四章16.～17.節，聖經。

13. 彼得後書第三章10.節，聖經。

14. 啓示錄第二十一章1.～4.節，聖經。

15. 周法高等編，金文詁林，七四九七頁（香港中文大學出版，六十四年）。

16. 啓示錄第二十二章1.～5.節，聖經。

17. 啓示錄第二十二章18.節，聖經。
18. 啓示錄第二十二章14.節，聖經。
19. 羅馬書第八章38.～39.節，聖經。
20. 同7.，一八〇頁。
21. 同上，一八三頁。
22. 以賽亞書第四十五章22.～23.節，聖經。

跋：古語新釋

1. 說文解字註，第三頁（黎明文化事業公司，六十三年）。
2. 同上，第二頁。
3. 同上，第一〇五頁。
4. 同上，第二四二頁。
5. 同上，第二五八頁。
6. 同上，第二七二頁。
7. 同上，第六三〇頁。

8. 同上，第二七四頁。
9. 同上，第五九五頁。
10. 同上，第二八一頁。
11. 同上，第五三頁。
12. 同上，第六三九頁。
13. 同上，第一四八頁。
14. 同上，第六四二頁。

參考書目

1. 周法高等編，金文詁林（香港中文大學出版，六十四年）。
2. 今日聖經（台北意譯本聖經會出版，六十九年）。
3. 聖經（聖經公會印發）。
4. 說文解字注（黎明文化事業公司，六十三年）。
5. 洪北江著，攈古錄金文，第一、二册（台北樂天出版社，六十三年）。
6. 洪北江著，金文編金文續編（洪氏出版社，六十三年）。
7. Kang, C. H. and Nelson, Ethel R. The Discovery of Genesis. St. Louis: Concordia Publishing House, 1979.
8. 洪光良，平安五譜，抉擇雜誌，一九八五年十二月（台北抉擇雜誌社）。
9. James Legge, The Chinese Classics (Vol. I, III)（台北南天書局有限公司出版，七

十二年）。
10.李東陽等奉敕撰，大明會典（東南書報社印行）。
11.李孝定編述，甲骨文字集釋（中央研究院歷史語言研究所出版，五十四年）。
12.清、閔寓五編，林直清重訂，訂正六書通（上海廣益書局，二十五年）。
13.瀧川龜太郎著，史記會注考證，封禪書第六之一（台北漢京文化事業有限公司出版，七十二年）。
14.馬薇廎著，薇廎甲骨文原。
15.新譯論語讀本（僑務委員會印行，七十一年）。

文字索引

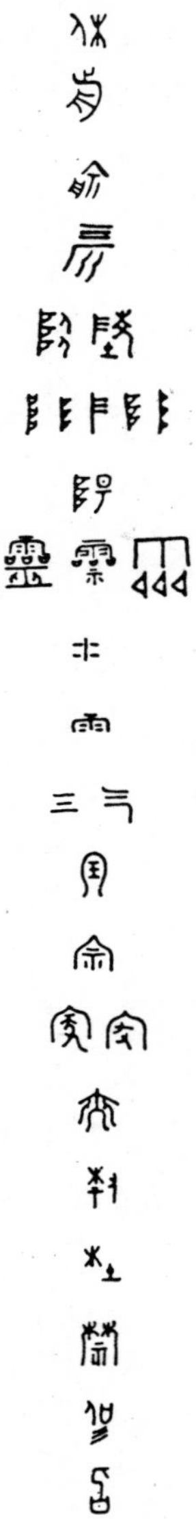

文字索引

真理衛道叢書 ⑤

孔子未解開的謎

著作者：李美基／鮑傅瑞
翻譯者：鮑傅瑞／陳維德

發行人：李正一
發行所：財團法人基督教橄欖文化事業基金會出版部
中華民國台灣省
北市杭州南路二段15號5樓
電話：(02)3933277　傳眞：(02)3933168
郵政劃撥：0540755-6
承印者：橄欖基金會印務部
行政院新聞局登記證局版臺業字第2600號
中華民國七五年八月初版一刷
中華民國八六年二月一版四刷

Mysteries Confucius Couldn't Solve

by Ethel R. Nelson & Richard E. Broadberry
Originally printed in U.S.A.

Aug. 1986 1st Edition
Feb. 1997 4st Printing
Cat.03005
ISBN 957-556-148-1

孔子未解開的謎／李美基，鮑博瑞著；鮑博瑞，陳維德譯. -- 一版四刷 --台北市；橄欖基金會，民
民 86(1997)
[4],168 面； 21 公分. --（真理衛道；5）
譯自：Mysteries Confucius Couldn't Solve
ISBN 957-556-148-1（平裝）
Ⅰ.基督教—護教　Ⅰ. 李美基 (Ethel R. Nelson)，鮑博瑞 (Richard E. Broadberry)
Ⅱ. 鮑博瑞，陳維德譯
242.9